POR ONDE FOR O TEU PASSO, QUE LÁ ESTEJA O TEU CORAÇÃO

8ª reimpressão

Pe. Fábio de Melo

POR ONDE FOR O TEU PASSO, QUE LÁ ESTEJA O TEU CORAÇÃO

Um diálogo com a consciência, a menina interior

Copyright © Padre Fábio de Melo, 2019
Copyright © Editora Planeta do Brasil, 2019
Todos os direitos reservados

Preparação: Carla Fortino
Revisão: Juliana de A. Rodrigues e Carmen T. S. Costa
Diagramação: Anna Yue e Francisco Lavorini
Capa: Adaptada do projeto gráfico de Rafael Brum
Imagem de capa: Alice Venturi

DADOS INTERNACIONAIS DE CATALOGAÇÃO NA PUBLICAÇÃO (CIP)
ANGÉLICA ILACQUA CRB-8/7057

Melo, Fábio de
Por onde for o teu passo, que lá esteja o teu coração : um diálogo com a consciência, a menina interior / Padre Fábio de Melo. – São Paulo : Planeta do Brasil, 2019.
232 p.

ISBN: 978-85-422-1549-6

1. Autoconhecimento 2. Autorrealização (Psicologia) 3. Felicidade I. Título

19-0186   CDD: 158.1

Índices para catálogo sistemático:
1. Autorrealização : Felicidade

2020
Todos os direitos desta edição reservados à
EDITORA PLANETA DO BRASIL LTDA.
Rua Bela Cintra, 986 – 4º andar
01415-002 – Consolação – São Paulo-SP
www.planetadelivros.com.br
faleconosco@editoraplaneta.com.br

Bem a sós, recobra teus cuidados já esquecidos,
coloca ao colo o teu ser franzino, a tenra idade,
os prados imaculados da divina infância, e
conceda-te a delicada subversão de renascer.

A menina que nos habita

Há verdades que não nos serão oferecidas pelos outros. Ainda que o despertar inicial seja desencadeado por uma palavra que nos chegue de fora, nascida das circunstâncias e pessoas que compõem nosso íntimo particular, em última instância é do fundo de nossa alma que o esclarecimento emerge, como se um saber oculto, antes privado de respiro, recebesse de poder dizer.

A convicção é o abraço da verdade. É o momento em que recobramos a coerência dos fatos, permitindo que o saber descoberto receba a carne de um viver consciente. Somos verdadeiramente transformados pelo conhecimento que alcançamos depois que ele se transmuda em competência inconsciente, quando pelo mistério da assimilação somos capazes de colocar na dinâmica dos dias o que nos foi oferecido pela reflexão. É a síntese entre coerência lógica e coerência emocional, quando o que pensamos se reflete naturalmente no que sentimos.

A vida que mostramos aos outros é apenas um detalhe da vida que profundamente vivemos. Este livro pretende ser uma palavra inicial de um processo que nunca tem fim. Colocar o coração no mesmo chão por onde andam os nossos passos só é possível quando nos dispomos ao desconforto dos enfrentamentos diários, quando somos capazes de desconstruir, ainda que simbolicamente, as estruturas que sustentam a face de nossas aparências. Conciliar as solicitações do coração com o caminho por onde vão os nossos pés, carece que retiremos a poeira do costume, das conveniências, dos ruídos que nos privam de ouvir o recado que nos quer dar a alma. Requer enfraquecer o ego, desmenti-lo em suas exigências descabidas, privando-o de prevalecer sobre as reais necessidades do eu. Entre o ego e o eu costuma se estabelecer um abismo. O eu corresponde ao centro do que verdadeiramente somos. O ego corresponde às realidades que cercam nossa verdade. Elas podem nos dizer respeito ou não. O ego é uma espécie de invólucro do eu. Ambos são pilares do mesmo ser, mas com funções distintas. O eu pertence ao mundo de dentro. O ego ao mundo de fora. Lidamos o tempo todo com os dois. Mas nem sempre os ouvimos com a mesma intensidade.

Há tempos tenho compreendido que um ser humano feliz, realizado, é aquele que vive confortável em si mesmo, que labuta diariamente com suas questões, mas desfrutando de uma satisfação íntima, não pública, que arregimenta e alinhava o sentido da vida que vive. Um conforto que antecede as aparências, que não tem rosto, imaterial, pois nasce da certeza de estar vivendo de acordo com as solicitações do coração.

Coração é a metáfora da consciência, o lugar que não aceita os disfarces da futilidade nem tampouco das imposições que não lhe dizem respeito. O coração é o lugar mais puro, água da nascente que ainda não recebeu as influências dos afluentes. Ele é a casa da menina que deste livro será personagem, a divina consciência, espaço consagrado que não sofre os riscos da profanação. Pode até ser esquecido, desconsiderado, mas nunca profanado. É nele que se hospeda nossa idiossincrasia, verdade pessoal que sobrevive até mesmo quando submetida a atentados e imposições abusivas. Ainda que esmagada pela mesmice social, impedida de conhecer a luz do dia, lá permanece, e dará testemunho de si sempre que convocada pela lucidez. Sobreviverá e resistirá no silêncio, mesmo quando impedida de dizer palavra. Mas, quando reverenciada com o respeito merecido, floresce inteira feito ipê a desafiar as regras do inverno. E, depois de cumprir o tempo da florada, oferecerá um tapete de cores a quem colocar os pés pelos caminhos onde foi plantada. A consciência resguarda a idiossincrasia, a verdade do ser. Do ser ela é o coração, lugar de onde parte o movimento que impulsiona e qualifica a vida. Gosto de imaginar essa consciência menina, mulher em estado de delicadeza, astuta, atenta, forte, criativa, ponderada, assertiva nas palavras. Sempre acreditei que o feminino é o lugar originário da reflexão. O olhar da mulher abrange bem mais que o do homem, pois é burilado pela dinâmica das esperas que cercam sua condição. A mulher é a consciência do mundo. Em todo coração humano, há uma menina que tudo sabe daquele que a hospeda.

Viver sob suas regras será sempre um desafio.

Queiramos.

O coração é o juiz absoluto de toda sentença.

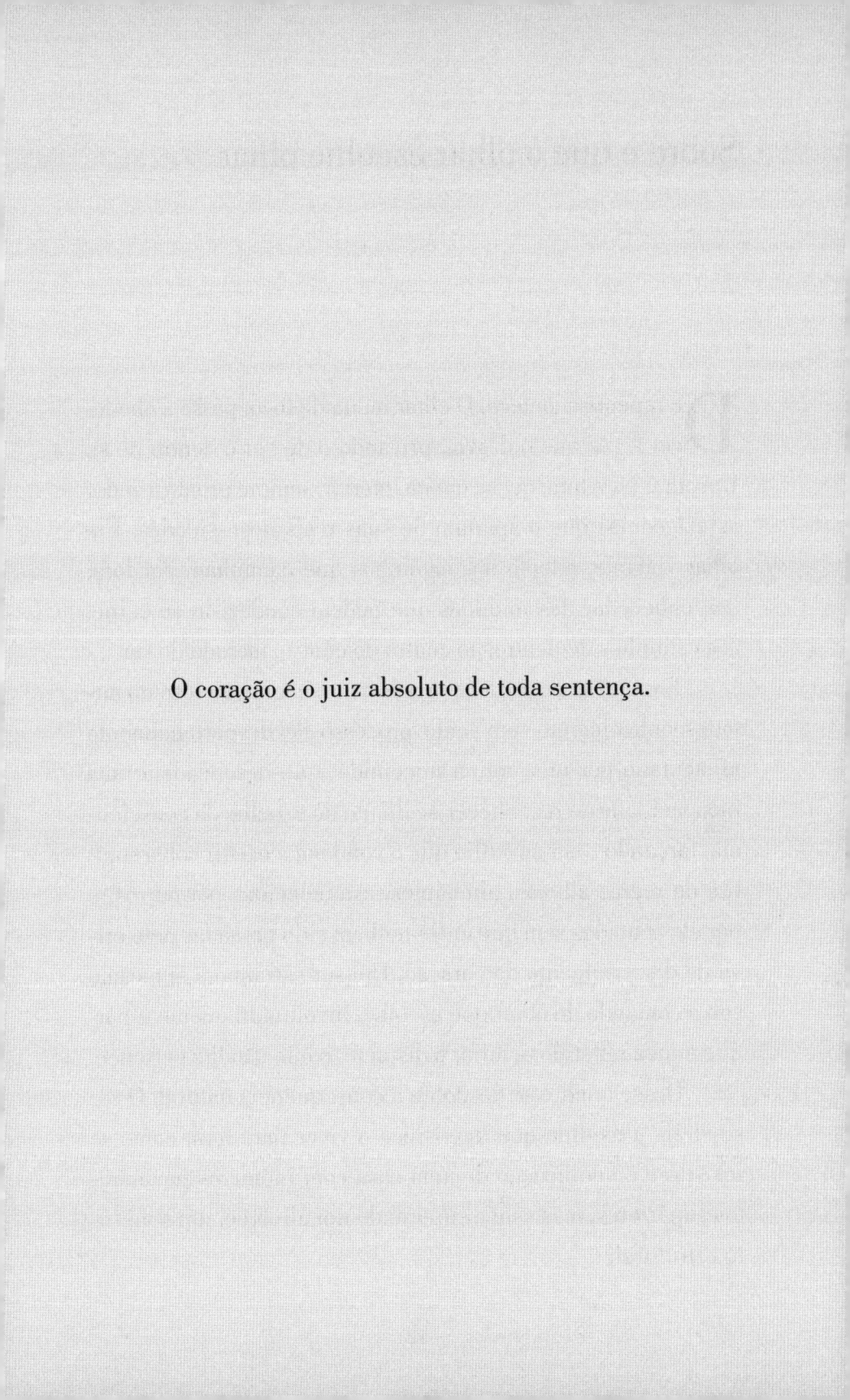

Sobre o que o olhar escolhe olhar

De repente acontece. O olhar muda de foco, passa a obedecer à voz que o desvia, privando-o de ver o dentro de si. Um olhar para fora, quase nunca interior, sempre pronto a ceder às exigências que o apartam de suas reais necessidades. Um olhar viajante, adepto dos caminhos que caminham por fora, desconhecedor das rotundas que podem conduzi-lo ao cerne, aos caminhos de dentro, ao centro do centro, morada do ser.

E então se estabelece no ser o movimento vicioso do autodesconhecimento, um lento processo de despertencimento alimentado por uma rotina infecunda, que desencadeia uma incapacidade de reconhecer-se diante do espelho da consciência, forçando o ser ao exílio que o condena a existir sob a sombra de regras alheias, alienantes, estabelecidas por outros, e por ele acatadas sem que antes tenham sido passadas pelo crivo do discernimento do coração. Um ser estranho a si mesmo sob o comando do olhar que escolhe, involuntariamente – porque nunca refletido –, mirar o distante, o que não lhe pertence.

Desse quadro se desdobra a consequência natural. O ser se aleija à medida que intensifica o viver para fora, como se insistisse na edificação de uma casa com inúmeros pavimentos superiores, mas sem o suporte de um alicerce, um conjunto estrutural.

Um ser espoliado, amolgado nos limites do corpo, cansado no corpo, num corpo exaurido, negado em suas regras, num corpo sem espírito, desprovido do sopro que inaugura, sustenta e concede sentido à existência, porque sempre ausente de si, viajando pelos caminhos que não o levam à fonte que o saciaria: o cerne de si.

O olhar pede dinâmica e equilíbrio. De dentro para fora, de fora para dentro. Um ciclo complementar que tem início e término no próprio ser. É essa dinâmica que torna possível o autoconhecimento, a proeza que nos permite saber quem somos e quais são os contextos externos que realmente favorecem nossa consistência pessoal. É do íntimo do olhar que deciframos o mundo, que o percebemos. É do íntimo do olhar que criticamos as circunstâncias que nos envolvem, os pedidos que elas nos fazem, e identificamos os riscos e as possibilidades que nos oferecem.

Mas nem sempre o ciclo acontece. A falta de intimidade com que lidamos com nossas questões, priva-nos cada vez mais do olhar que alcança o profundo de nós mesmos. E então nos acostumamos com as inférteis margens da comodidade, com o olhar viciado que nunca quebra a crosta da mesmice.

Quanto da distância precisamos percorrer para perceber que erramos a rota? É possível quantificar a suportável porcentagem de equívoco a que temos direito e que não incorreria em inviabilização de nossa realização humana? Somos tão naturalmente precários, tão facilmente afeitos aos desvios dos caminhos. Não seria romantizar desonestamente sobre nós mesmos, desconsiderando o barro do qual fomos feitos? Pode ser. As idealizações são tão prejudiciais quanto a total supressão de metas. Mas há um meio-termo a ser considerado, um caminho do meio que merece a atenção de nosso olhar. Nossa natural aptidão para escolher o que nos mata carece de ser diariamente quarada sob o sol da consciência, o tabernáculo onde a verdade prevalece sem equívocos.

É importante saber que mais cedo ou mais tarde o tribunal se erguerá. Seremos réus e juízes. A cena posta. A pergunta inevitável. Valeu a pena ter vivido? Pergunta e resposta numa mesma boca. Será a repatriação do olhar, aquele que costuma viajar, desejoso de desvendar o estrangeiro. O olhar em sua última viagem, a mais longa, a mais tortuosa, a mais íntima, a mais difícil. A viagem de retorno ao dentro de si.

Um tribunal onde a sentença não pode ser ouvida acompanhado. Sempre em solidão. Como morrer. Nenhuma mão pode nos amparar na derradeira partida. Morrer é sempre solitário. O tribunal é como morrer. Fim de um tempo, de uma época, de uma estação. Fatos que o desencadeiam. Uma perda se estabelece e a cena se põe. Inevitável. A morte do outro nos recorda o que inconscientemente nunca esquecemos: morreremos também. A consciência da finitude se encarrega de erguer o tribunal. E lá ficamos por um tempo, até que o olhar se desvia novamente, adaptando-se ao fato antes incômodo, e volta a se dedicar aos horizontes alheios. Um viver para fora que tão pouco contempla a necessidade que o ser possui de se observar. E novamente a mesmice, o movimento que compromete a qualidade da vida. E depois outra vez o tribunal, fim de todo o ciclo existencial. A vida se encarrega de perguntar. Mas nem sempre aprendemos. E então retornamos aos processos viciosos e nocivos que o tribunal condenou e nos transformou temporariamente. Mas, por que nos esquecemos tão facilmente dos aprendizados gestados pela sentença recebida? E por que o olhar desaprende de buscar o que é de si? Quando é que se desvirtua, pondo-se em debandada, indo alcançar o fora sem antes ter se ocupado com o dentro? Não sei dizer. O que sei é que a superficialização do mundo tem se tornado uma regra. Respostas prontas, discursos que nos desobrigam de aprofundar os conflitos, fartura de químicas que anestesiam e adiam soluções, religiosidade que nos infantiliza, desprovida de senso crítico, retorno às superstições, rituais religiosos que nos colocam diante de um deus tão imaturo quanto nós, tudo alinhavando o ser humano à engrenagem de seu despreparo, asfixiando-lhe a alma, espoliando-lhe as riquezas, tal como o colonizador espolia o seu colonizado.

    O olhar excessivamente para fora, característica cada vez mais marcante da contemporaneidade, compromete a experiência que o ser humano faz de si. Os hábitos que não incluem a vida interior fazem com que o ser humano permaneça distante de sua consciência, lugar sagrado onde a verdade não aceita disfarces. Em última instância, é ela o nosso crivo final. Somente através dela somos capazes de separar o joio do trigo, os carneiros dos cabritos, os estímulos da morte dos estímulos da vida.

    Mas como viver familiarizados com a consciência se ela só pode ser acessada a partir do olhar para dentro, se a ele estamos indispostos?

Alguns já proclamaram o fim da cultura, a total supressão das tradições que nos proporcionam o acesso ao mistério que somos, a substituição de tudo isso pela civilização do espetáculo, pela tendência de reduzir a cultura à condição de entretenimento, socializando, assim, a natural indisposição a todo e qualquer conteúdo que não seja facilmente digerido.

Alguns profetizam que estamos em pleno processo de artificialização do mundo. E nele não há tolerância com os conteúdos que exigem tempo e dedicação. Queremos diversão, entretenimento, disfarces para que a realidade se torne suportável.

Não sabemos precisar quanto dessas opiniões já se aplicam à nossa realidade. O fato é que já percebemos as nefastas consequências dessa indisposição humana ao olhar que carece de calma para acontecer. A pobreza humana se expressa na ausência de valores universais. Valores que só podem ser cultivados mediante a observância da vida interior. A vida virtuosa a que se referia Aristóteles continua sendo um desafio difícil de ser alcançado. A construção das virtudes só é possível sob a luz da consciência. É com ela que descobrimos os imperativos éticos. A partir deles estabelecemos diária labuta contra as forças viciosas e descobrimos as graças dos hábitos que nos tornam virtuosos.

Mas quem poderá nos devolver ao berço da consciência, ao olhar que nos permite abranger e refletir sobre nossas ações? Quem será capaz de nos fazer interferir nos hábitos viciosos que com o tempo se tornam um instrumental favorável à nossa irrealização? Ouso dizer que é a criança que nos habita, o ser que ainda não foi contaminado pelos excessos da vida adulta, o ser que ainda goza das liberdades do eu, pois ainda não sucumbiu às exigências inescrupulosas do ego, e que ainda consegue identificar, sem as intermediações da hipocrisia, o essencial que carecemos de cultivar. Em todo adulto indeciso há sempre uma criança que sabe o que quer. O desafio é vencer a distância, encurtar os caminhos que os separam, promover o encontro que proporcionará à criança colocar o adulto no eixo de sua verdade pessoal.

Este livro narra um encontro. Do homem com sua consciência. Achei por bem dar um rosto infantil àquela que dialoga com o homem. Nos dois personagens também podemos identificar os dois olhares. O que olha para fora e o que olha para dentro. E, com o encontro, a confluência dos dois. Não há infantilismo na percepção da criança. Pelo contrário. O que temos é a visão que ultrapassa as proteções conceituais adotadas pelo adulto, as mentiras com as quais ele se acostumou para proteger-se de si. Na criança encontramos a instância filosófica, natural, questionadora, capaz de colocar o homem diante de suas escolhas infelizes, cruéis, mostrando-lhe quanto de suas reais necessidades são negligenciadas no estilo de vida assumido.

Na criança encontramos a coragem de desconstruir o que o adulto estabeleceu como proteção e justificativa para sua desumana maneira de portar-se, vivendo para satisfazer as expectativas dos outros, mas sem nunca desenvolver um só centímetro de generosidade. Um viver para os outros que passa ao largo da verdadeira caridade, pois está a serviço da necessidade de ser reconhecido, invejado, aclamado, sem que todo esse reconhecimento ao menos lhe arranhasse a alma. Um viver para os outros que reforça uma estranha face do egoísmo, em que o outro é um mecanismo de sustentação de uma vaidade que carece de necessitados e carentes para ser mantida.

Um homem apartado de si e uma criança desejosa de repatriá-lo. Essa é a dinâmica desta breve história. Um diálogo interior que dispensa contextualização geográfica. A cena do encontro é um lugar para todos nós. O teor da conversa também não está enclausurado num estreito território de convicções, limitando-se a falar com uns poucos. Não, o teor não é religioso confessional. Esta reflexão antecede qualquer discurso religioso. O teor é meramente humano. O tear de onde nasce esta trama é o coração humano, o lugar onde a vida se espreme para caber e produzir frutos.

De vez em quando é necessário perder as proteções que a vida adulta nos emprestou. É necessário retornar à nudez original, à vulnerabilidade que nos coloca diante das perguntas e dos conflitos que adiamos por puro desrespeito a nós mesmos.

Quanto nos custa ter o que temos? Quanto nos custa ser quem somos? O adulto nunca sabe responder. Ou, se responde, o faz sob as imposições de suas incipientes necessidades de reconhecimento. Responde a partir de um limite emocional que geralmente é motivado por suas carências incuradas e que lhe privam de saber ao certo a resposta a que verdadeiramente poderia chegar. Se quisermos acessar o coração dessa resposta, é preciso cancelar a agenda, afrouxar os nós das gravatas, dos sapatos, dos vestidos, dos interesses, da comodidade. É preciso desligar o celular, a televisão. É preciso abrir mão das pretensões, das vaidades, dos excessos, e receber a menina consciência em nossa sala de estar.

As idades da vida são rios que
nunca deixam de desaguar em nós.

A menina do homem e o homem da menina

O homem está diante do espelho. Os olhos percorrem a construção corpórea que o permite ser quem é. O que dele é invisível, porque pertence à ordem dos sentimentos, abriga-se misteriosamente no corpo. Está crescido por fora. O tempo realizou a função de desenvolver carnes, músculos e ossos.

Mas o crescimento que diz respeito às emoções não é mensurável. Não se sabe ao certo quanto os músculos que não são músculos, as carnes que não são carnes e os ossos que não são ossos cresceram. O homem interior não se sujeita aos mecanismos que esquartejam, quantificam e mensuram. Em última instância será sempre mistério.

O homem se vê. Mas o que vê? Não se sabe ao certo. O corpo é o anúncio de uma totalidade que nem sempre aceita ser decifrada. Há os que são capazes de enxergar na epifania do corpo os resultados da alma. Há os que não desenvolveram a luxuosa destreza. O homem se olha. Na estrutura do corpo adulto todas as idades estão sedimentadas. O agora refletido no espelho não é por acaso. No avesso de sua composição a soma dos tempos se entrelaça.

A menina vê o homem. Do canto em que se encontra presencia a contemplação que faz parte daquela rotina. Olhar-se no espelho é tão comum a todos. Um ritual que alguns realizam fervorosamente. A menina conhece a simbiose que os sacramenta, duas fases de uma mesma vida, mas o homem, não. Como que visitado por um inesperado distanciamento da realidade, percebe que há uma criança desconhecida em seu quarto observando o seu ritual de preparo. Se não estivesse imerso nesse esquecimento da realidade, muito semelhante às epifanias bíblicas, em que o personagem é arrebatado a um estado sensorial que lhe permite viver o inimaginável, ele certamente tomaria um susto e quereria imediatamente saber de onde havia saído aquela criatura que o observa.

Mas o homem não toma providências, o que seria natural a um ser tão prático e racional como ele: sair, chamar alguém, perguntar de onde surgiu aquela menina, e, não recebendo explicações plausíveis, sairia, chamaria a polícia, ele não faz. Mas, estando na total ausência de precisões racionais, como se alçado por um encantamento que ali tinha o seu início, ele se limita a simplesmente perceber a menina. Uma percepção que desconhece a perturbação de perguntas, das especulações comuns a pessoas que acabam de se conhecer. Ele a vê. Sabe que ela está ali. Olha para ela com naturalidade, como se entre eles nunca houvesse um só fio de estranhamento. A menina do homem, o homem da menina.

O olhar infante penetra o corpo adulto. Rasga as carnes da aparência, penetra o mais profundo e encontra o coração, lugar onde a verdade não aceita disfarce. Aos olhos dela ele está nu. Ele não sabe que está. Ainda está vestido elegantemente com um terno cujo feitio contempla cada centímetro de suas medidas. Nada sobra, nada falta.

A menina e a verdade do homem. O ser que se desconhece está agora diante de sua estação primeira, do ser que ainda não sofre as consequências dos excessos, das imposições alheias, das carências não curadas, das prisões que lhe foram erguidas.

A menina vê. O homem aprendeu a vagar com seus desconfortos sem com eles se desconfortar. Adaptou-se ao que não deveria. Um ser conflitado, mas em absoluto estado de letargia, como se uma crosta de conformidade lhe protegesse das perguntas que poderiam lhe despertar o incômodo criativo.

Um homem conformado, vítima da incapacidade de mergulhar os conflitos nos rios dos questionamentos. Infeliz, mas conformado. O aspecto sempre preocupado o denuncia ao mundo. A cera do descontentamento lhe cobre a face. É sob ela que o coração se esconde. Mas ele não é capaz de perceber. Adaptou-se ao pouco que enxerga de si, deixando de notar a tristeza hospedada nos olhos.

A menina o observa atentamente. É cedo. O homem já tomou banho e agora se despede do grande espelho. Caminha até a mesa que fica ao centro e começa a escolher o relógio que usará. Um entre tantos. Uma caixa repleta de possibilidades. Inúmeros modelos e marcas. Um dos muitos luxos que faz questão de alimentar. Uma pequena fortuna se espreme nas máquinas que contabilizam o tempo. São modelos suíços, ingleses, franceses, italianos e americanos.

O tempo. O olhar do homem se prende ao olhar da menina. Nele se estabelece uma percepção que não se explica. Sabe que é um corpo real, materializado, mas com ele não se deixa afetar pela curiosidade que é tão comum nos primeiros encontros. Não se trata de um fantasma que até então permanecia escondido no canto do quarto e que de repente assumiu o corpo que o olha. Há um mistério entre eles. Ele sabe, mas ainda não sabe dizer o que sabe. Ele a percebe de fora, mas ao mesmo tempo intui se tratar de um ser que brota de suas entranhas, íntima, particular, parte de si.

A menina tem um olhar calmo, bonito, que do homem não se desprende. Ele sente que ela quer sua atenção. Talvez queira dizer alguma coisa, mas o interesse pelos relógios não o dispersa. Continua escolhendo. De vez em quando o olhar se dirige ao pequeno corpo que no canto o espia, mas nada diz.

O mistério que a ela se sobrepõe já é percebido por nós, nobre leitor. O homem ainda não sabe, mas nós já sabemos. São dois corpos de uma mesma vida. Em tempos distintos. E poderão falar. Conversarão entre si. Como se fossem estranhos. E são. Mas não deveriam ser. Ser estranho a si mesmo? Sim, acontece. E acontece tão intensamente que eles se enxergam apartados, como dois outros em absoluto estado de ruptura. E então o encontro se estabelece. A sala de estar emocional é erguida. A menina do homem começa a dizer ao homem da menina.

O tempo é uma riqueza que só
é percebida depois de perdida.

Sobre o tempo que nunca temos

O que enxergas no espelho quando olhas?

A minha imagem.

Não foi isso que eu perguntei.

Mas foi isso que eu entendi.

Às vezes é preciso ultrapassar a superfície da palavra.

Às vezes é preciso mais clareza nas perguntas.

Vamos começar de novo. O que enxergas na imagem que o espelho reflete?

O meu corpo.

E por detrás do corpo?

Por detrás do corpo?

Sim, depois das estradas, rios e montes do corpo, o que há?

O homem que eu sou.

E quem é o homem que és?

Eu precisaria de muito tempo para poder dizer.

E não tens esse tempo?

Agora, não.

Mas és o homem e proprietário do teu tempo?

Sim, sou o homem e proprietário do meu tempo.

Então por que não tens o tempo de responder à pergunta se dizes ser o homem e proprietário do teu tempo?

Porque agora preciso ir trabalhar.

Mas quem é homem e proprietário de seu tempo certamente poderia alterar a ordem dos acontecimentos. Responderias agora, trabalharias depois.

Sim, poderia, desde que o motivo para a alteração fosse importante.

E não é importante responder a ti mesmo que homem és?

Não, agora, não. Essa pergunta pode esperar.

Mas é só o que ela tem feito.

O quê?

Esperar.

Pois que espere um pouco mais.

É que às vezes a pergunta deixa de poder esperar.

Por quê?

Por uma questão de sobrevivência, instinto natural do ser que sente a adaga da morte ameaçando-lhe a jugular.

Não é meu caso.

Tens certeza?

Sim, tenho.

Pois não estou tão certa disso.

Não sinto a adaga da morte ameaçando-me a jugular.

Esse é o problema.

Qual?

Estás adestrado pela adaga. Ela está pronta para cortar-te o pescoço e já não notas o risco que te ronda.

E o que achas que pode ser feito para afastar a adaga até que eu termine o meu dia de compromisso?

Nada. Se deres mais alguns passos, ela te penetrará.

Achas mesmo que se eu responder a essa pergunta agora poderei me livrar de ser morto pela adaga?

Sim. Porque somente a resposta à pergunta pode impedir o golpe.

Não achas que atribuis valor excessivo a algumas poucas palavras? Posso perfeitamente simular uma resposta, livrar-me de tua inconveniência e ir embora sem problemas.

A pergunta que te salvaria não é a que responderias a mim, mas a ti mesmo. Mas, nesse caso, respondendo a mim, respondes a ti mesmo. Ou a ti mesmo respondes a mim.

Que confusão verbal.

Não, é um esclarecimento conceitual.

Digo a ti, mas estou dizendo a mim?

Sim.

Como uma simbiose?

Perfeitamente. O nosso encontro já gerou a terceira pessoa. Há um nós aqui que não pode mais ser desfeito. Dois eus gerando ontologicamente um terceiro.

O que é ontológico?

Que diz respeito ao ser.

Então já somos um?

Sim, do encontro nasceu um nós.

Tu és uma menina louca.

Eu sei.

Uma louca consciente, então.

Já é uma redenção?

Não sei.

Nossa simbiose há de prevalecer um dia, e então terei a oportunidade de suturar-te definitivamente a mim, concedendo-te o eu que favorecerás o homem que és.

E o que de ti poderia me favorecer?

A minha destreza em identificar o essencial.

Não entendo quando falas de simbiose. Esse nós a que te referes. Falas como se fôssemos juntos.

E somos, embora estejamos separados.

E o que nos separou?

Teus hábitos.

Meus hábitos?

Sim, os hábitos que te tornaram estranho a ti mesmo. E estando estranho a ti mesmo perdeste a capacidade de me reconhecer como tua parte, de ouvir-me.

Não estou entendendo o que pretendes dizer.

Tens tempo?

Já estou atrasado.

Mas estás sempre atrasado.

Sim, sempre tenho muito o que fazer.

O mais pobre entre todos os mais pobres. O homem que nunca tem tempo.

Não disse que não tenho tempo. Disse que estou atrasado.

E há diferença?

Claro!

Ajuda-me a perceber a diferença.

Tenho tempo para o que agora preciso fazer. E para o que preciso fazer já estou atrasado.

Compreendi.

Que bom!

É só uma questão de prioridade. Tens tempo, e o tempo que tens é para o compromisso para o qual já estás atrasado.

Perfeitamente!

E não te incomodas de viver constantemente atrasado?

Nem um pouco.

Mas não podes mesmo me ouvir?

Só se fores breve.

Breve ao ponto de nada dizer, como prescreve a ditadura da pressa?

Não, breve por respeito à objetividade. Tens a habilidade de dizer coisas importantes com poucas palavras?

Acho que não.

Eu já imaginava. Requer destreza verbal para dizer muito com tão pouco.

Destreza verbal?

Sim, habilidade de dizer fecundamente mesmo sendo breve.

Não achas que ser breve o tempo todo pode te condenar ao vício da superficialidade? Nem tudo pode ser breve. As narrativas extensas também são importantes. Agora mesmo disseste que para responder quem é o homem que és precisarias de tempo.

Pode ser. Mas agora eu opto pela brevidade.

E não é sem motivos.

Conheces meus motivos?

Sim.

E quais são eles?

Tu és escravo do tempo. A explicação que deste sobre o nunca ter tempo e o estar atrasado é uma falácia que não convence ninguém.

Não sou escravo do tempo.

És, sim.

Não sou. Procuro administrar bem o tempo que tenho. É diferente. E mesmo assim não consigo. Já observaste minha agenda? Termino as atividades do dia precisando de mais duas ou três horas para dar conta de tudo.

E isso revela tua escravidão.

Discordo.

Eu sei que discordarias.

Claro, não sou obrigado a concordar com as tuas afirmações infundadas.

Saramago, o escritor português, numa das últimas entrevistas que deu, falou sobre isso.

E o que ele disse?

Foi uma resposta a um jornalista que considero adequada ao que agora te falo.

Qual foi a pergunta feita?

O que ele ainda gostaria de ganhar como escritor.

E o que ele respondeu?

Mas antes o repórter fez uma contextualização interessante.

Qual foi?

Calma.

Tu falas muito devagar.

E tu escutas com muita pressa.

Termina a história, por favor. Fiquei interessado no que disse o velho Saramago. Sempre gostei dele.

O que leste dele?

Nada.

E como podes gostar de um escritor cujas obras desconheces?

Fala logo o que disse o jornalista.

O jornalista fez menção a todos os prêmios que ao longo da carreira bem-sucedida Saramago havia recebido.

E então?

Ele perguntou o que ele ainda gostaria de ganhar naquela fase da vida.

Já disseste isso. Quero saber a resposta de Saramago.

Depois de um tempo em silêncio, como se não quisesse perder nem um centímetro daquela boa provocação, como se naquela rápida fração de tempo quisesse esquartejar com a lâmina da sinceridade o mais profundo de seus desejos, respondeu: "Tempo, eu gostaria de ter tempo".

Uma bela resposta.

Muito mais que bela, uma sábia resposta.

Ele já devia saber que estava próximo do fim.

Mas não só por isso.

Reformulando. Também por isso.

Ele já tinha sofrido a desconstrução.

Que desconstrução?

A que o tempo se encarrega de fazer.

E qual é?

A que descredencia as ilusões, retira os excessos que impedem as pessoas de perceber a desonesta relação que estabeleceram com o tempo. A maturidade que o tempo proporciona, aos que dela se tornam discípulos, encarrega-se de desmentir as falsas seguranças, o vazio das escolhas infelizes, os equívocos que rotineiramente são praticados, reproduzidos, levados adiante porque nunca refletidos, e que fragilizam a percepção do que na vida realmente importa.

Como assim?

Nem sempre as pessoas sabem colocar na estrutura do tempo a pauta de suas reais necessidades. Perdem dias, meses, anos ou até uma vida inteira desperdiçando a oportunidade de serem quem são, alienadas, distantes de suas idiossincrasias, indispostas para as mudanças favoráveis e reprodutoras de um comportamento que aniquila a autenticidade. Com o tempo, as verdadeiras importâncias vão se revelando. O que antes servia como esconderijo para a irrealização perde o sustento. O incômodo chega, o desassossego mostra suas garras. O olhar se volta para o tempo que resta, e assim fica mais apurado. Passa-se a perceber melhor quanto se negligencia o tempo que se tem, e então as demandas da vida vão passando pelo crivo que permite escolher a melhor parte.

Claro, é o movimento natural do amadurecimento.

Sim, mas nem sempre é tão natural assim como dizes. Há velhos que morrem imaturos.

Mas Saramago não me parecia um homem imaturo.

Não, não era. Um escritor fiel ao seu ofício dedica-se constantemente à lida com o ser das coisas. O olhar do escritor precisa ultrapassar a superfície do senso comum, singrar os oceanos dos sentimentos, os rios dos conceitos. Somente depois a fecundidade da narrativa torna-se a ele acessível. Saramago era homem fecundo. Tinha o privilégio de ter a imaginação educada, o desejo diplomado.

Então por que fizeste a associação da imaturidade com o desejo que ele tinha de ter tempo?

Eu não fiz. Tu me escutaste movido pela ansiedade e apressadamente me ouviu fazer uma associação que nunca fiz. Aliás, és especialista em apressar o interlocutor porque julgas ter entendido o que ele tem a dizer, mesmo que ele ainda não tenha terminado de dizer.

Não concordo. Sou muito paciente para ouvir.

Sim. E agora estás faltando com a verdade. Tens sido cada vez mais impaciente quando precisas escutar alguém.

Termina logo o que ias dizer sobre a imaturidade.

Acabaste de fazer o que digo.

Termina logo, por favor!

Ao dizer que queria ter tempo, intuo que Saramago se referia à necessidade que sentia de viver o que a pressa da vida não lhe permitiu. Mas não cabe julgamento. O que ele ainda queria do tempo não nos é acessível. Os desejos são inacessíveis até mesmo aos que os sentem. Mas ouso pensar que ele desejava o acordar diário sem as imposições da agenda. Programar a vida com a liberdade de quem não está sob a imposição do tempo a ser cumprido. Desfrutar sem pressa dos frutos da maturidade.

Ou não.

Ou sim.

A dialética nunca tem solução. Tu achas que sim e eu acho que não. Temos o direito de pensar diferente. Agora preciso terminar de me arrumar. Outra hora podemos continuar a conversa.

Outra hora não será mais esta hora.

Claro, mas será outra hora.

Mas há a hora em que a vida chama. Tudo no corpo está preparado para ouvir. E então o enfrentamento produz bons resultados. Tudo porque a palavra abrirá a fenda por onde correrá o rio do entendimento. E tudo me diz que esta hora deveria ser tua hoje. A hora da desconstrução está batendo à tua porta.

Falas dessa desconstrução como se eu já tivesse assumido necessitar ser desconstruído. Não me recordo de ter confirmado uma só vírgula de tuas acusações.

Nem precisas confirmar. Sei que estás necessitado. Mais cedo ou mais tarde o tempo se encarrega de descontruir os esconderijos que as pessoas edificam. São estruturas frágeis, fugazes, onde protegem as desculpas que oferecem a si mesmas. Até que chega o momento em que tudo rui, e o que antes servia como viga de sustentação deixa de servir. Estás vivendo essa desproteção. Enfrentas o descampado da existência. Nenhum teto a te proteger da tempestade causada por tuas escolhas.

Estou infeliz com minhas escolhas?

Sim, estás.

E como podes saber?

Pela simbiose.

Escolher será sempre um conflito.

Sim, mas no teu caso as escolhas já estão num ciclo vicioso do condicionamento. Porque já não és capaz de fazer escolhas livremente, as escolhas te são impostas pelos inúmeros caminhos dos teus condicionamentos sociais.

As escolhas que fazemos estarão sempre sob névoa. Nunca sabemos se estamos escolhendo certo. Portanto, esse conflito nem merece ser alimentado.

Qual conflito?

Esse que estás querendo transferir de Saramago para mim.

O conflito de Saramago é universal. Está em todo lugar. Onde existir um ser humano que tem o desejo educado, lá a chama desse conflito estará acesa.

Toda pessoa ao final da vida terá de conviver com o resultado das escolhas que fez. Ficar penalizando-se pela vida que não viveu não me parece inteligente.

Da mesma maneira como não me parece inteligente viver sem problematizar a forma como se escolhe viver e gastar o tempo que ainda resta. Prestar contas a si mesmo é o destino inevitável de toda pessoa. Um dia terás de fazê-lo. Também não acho justo voltar os olhos sobre o passado para criar inquietações inférteis sobre o que poderia ou não ter vivido. A vida foi como pôde ser. Viveu-se como foi possível viver. No mourejo com o passado não é justo remover culpas e ressentimentos. Mas, no mourejo com o momento presente, aí sim é significativo tentar minimizar os efeitos nocivos do passado, mediante escolhas que reorientem a conduta que favoreceu os equívocos pretéritos.

Já não me recordo. Por que trouxeste Saramago e a reflexão sobre o tempo?

Porque andas necessitado de refletir melhor como gastas o tempo que tens. Da reflexão poderá surgir um novo entendimento, do entendimento uma nova postura, e da nova postura um novo sentimento diante da vida.

Já disse que preciso dar continuidade à minha retirada. Não posso continuar te ouvindo.

O tempo se confunde com a vida.

Minha vida é o tempo.

É sobre esse tempo que escreves a história que um dia terás somente como memória. Porque o tempo que passa só sobrevive na memória. E ela será a responsável por despejar sentimentos sobre o teu corpo. Se forem boas memórias, sentimentos bons. Caso contrário, terás o corpo constantemente visitado por sentimentos ruins. É no corpo que os sentimentos se materializam.

Estou certo de que desfrutarei de enorme satisfação da vida que nessa memória estiver registrada.

A tua satisfação dependerá do empenho com que te dedicarás aos anseios do teu coração. Em última instância, é a voz que prevalecerá.

A do coração?

Sim.

Mas ouvir essa voz não pode nos fazer optar pelas paixões?

Nunca estarás livre dos riscos das paixões. Mas antes é preciso corrigir um equívoco na tua compreensão. Ao te referires ao coração como lugar das paixões, reduziste-o de maneira errônea.

E o coração não é metáfora de tudo o que pode nos fazer fracos?

Não seria o contrário?

Ele nos faz fortes?

Se considerares o coração como metáfora do caminho do meio, do esclarecimento, da síntese, do equilíbrio, sim.

Mas essa compreensão não é comum. O coração é sempre interpretado como uma oposição à razão.

Reducionismo que precisa ser superado. O sentimento não se ausenta nas decisões racionais. Pelo contrário. É ele quem arregimenta as questões. Toma a frente, indica o caminho, faz as perguntas. E então a razão trabalha, desdobra-se sobre o que o sentimento preparou.

Tudo bem, mas como é possível saber se o que ouço é a voz do coração?

Primeiramente perdendo a pressa. Da maneira como vives é praticamente impossível trilhar o caminho do meio. Na pressa só há a possibilidade do desequilíbrio, dos extremos. É preciso ouvir com calma o que anda dizendo a vida. É mister conviver com os anseios que ela desperta, dedicar tua atenção aos desconfortos que ela te indica. E então estarás no caminho do meio.

O que nos posiciona entre os conselhos da razão e os pedidos da emoção.

Perfeitamente.

Por que facilmente nos posicionamos nos extremos?

Porque o caminho do meio é muito mais exigente.

Por quê?

Porque ele só é viável aos que se dispõem à vigilância constante.

E por que a vigilância não acontece naturalmente?

Porque vigiar consiste em dedicar-se ao olhar que te conduz ao dentro de ti. É no dentro que identificas as contradições das escolhas que fazes, os equívocos das rotas que tomas. Na desconstrução do tempo és inevitavelmente jogado para dentro, porque o olhar para fora perde sua imposição.

Uma desmoralização natural?

Sim, o tempo que desconstrói se encarrega de rasgar as falsas seguranças. Tudo vai ruindo aos poucos. É como se retornasses à nudez original, quando ainda não podias contar com os resultados positivos da vida vivida, das conquistas, do sucesso, do dinheiro, das titulações, do conjunto da existência que põe roupa na exterioridade. O ser a sós, sem os disfarces que até então conseguiam entorpecer o desconforto existente. O despojamento existencial provocado pelas mãos do tempo.

Esta conversa está densa demais para ser tida agora.

É só o que temos.

O quê?

O agora.

Que lugar-comum. Todos dizem isso.

Verdade.

Então por que repetes?

Porque não tenho problema em assumir o lugar-comum quando ele convém, quando ele permite compreender o mistério que envolve a vida. O sempre dito nem sempre já foi assimilado. O óbvio resguarda novidades. Nele também há o assombro metafísico, o brilho da pergunta, a curiosidade que assanha os olhos, o movimento que nos lança ao coração da realidade e que acende todos os sentidos.

Todos os que conheço que salientam a importância do agora são incoerentes. Vivem procrastinando soluções e nunca aproveitam honestamente o tempo que possuem.

Estás fazendo uma leitura de tua vida?

Não necessariamente. Já disse que me sinto confortável com as escolhas que tenho feito.

Mas se os resultados estão tão satisfatórios, por que usas tantos ansiolíticos?

Um recurso médico absolutamente normal. Uma maneira de controlar minha ansiedade. Tudo devidamente receitado por um profissional qualificado.

Eu sei.

Então por que perguntas?

Porque é importante estimular o tolo a repetir suas tolices. Uma hora a repetição recebe a trinca da dúvida, e então ele pode viver o benefício de ver ruir a estrutura onde suas mentiras estão protegidas.

Estás insinuando que estou mentindo?

Achas que poderia estar mentindo?

Não, eu não estou mentindo.

E por que ficaste tão alterado com minha pergunta?

Porque já disse que não tenho tempo para esta conversa agora e tu desconsideras, dando continuidade.

O que te incomodas é o tempo que não tens ou a pergunta que te fiz?

O tempo que não tenho.

E os ansiolíticos?

Já disse que são prescritos responsavelmente por um psiquiatra.

Sim, é claro. Eu não atento contra a ciência. Se há a necessidade de medicamentos, que sejam usados.

Então por que insinuas que eu não deveria tomá-los?

Não estou insinuando que não devas tomá-los. Mas acredito que te faria bem pensar no quanto estás adaptado a eles. Um ansiolítico é apenas um amparo para a retomada de uma nova forma de viver.

Como assim?

O remédio cumpre o papel de conceder à pessoa a retomada do equilíbrio emocional. E depois de reequilibrada ela necessita fazer as alterações na rotina que a torna tão ansiosa. Caso contrário o remédio se limita a manter sobre controle as consequências do problema, sem nunca conduzir uma alteração comportamental que o encaminhe às resoluções. Estou errada?

Não, não estás errada. Mas já fiz muitas mudanças em minha rotina.

Não as percebo. Aliás, tu estás cada vez mais atribulado. E os remédios já deixaram de ser eficazes, afinal continuas ansioso e constantemente irritado.

Estou no auge da minha carreira profissional.

Mas a realização profissional contará menos se ela não alçar também a realização emocional.

Preciso terminar de me arrumar. Realmente meu tempo esgotou.

Muitos relógios para tão pouco tempo. Interessante.

Sim, muitos relógios. Todos comprados honestamente com o resultado do meu trabalho.

Por que fazes questão de ter tantos relógios alojados nessas caixas que parecem vitrine de uma loja de luxo?

Porque gosto de tê-los.

Ainda que estejas sempre a usar o mesmo?

Não são todos os que posso usar. Alguns são muito caros. Não é seguro andar com eles por aí.

E qual é a vantagem de ter relógios que nunca podem ser usados?

Além de ser um prazer solitário, é também um investimento.

Dinheiro guardado em mecanismos que marcam o tempo?

Sim.

Não tens medo de morrer sem ter extraído a alegria de tê-los?

Nunca pensei sobre isso. Mas saber que os tenho já é o suficiente para ficar feliz.

Uma satisfação silenciosa.

Sim.

Mas sem sentido.

Não, não é sem sentido. Os relógios são meus, e de vez em quando os retiro das caixas, executo as limpezas e depois volto a guardá-los.

É que o sentido que enxergas está intimamente atado à tua vaidade de tê-los. Sob os efeitos da vaidade o homem se torna incapaz de perceber o mundo que existe além de seu nariz. Ou de seus relógios, não sei.

Não queiras problematizar o meu gosto pelos relógios. Trabalhei muito para tê-los e gostaria que respeitasses a minha escolha em tê-los dessa forma.

Gosta de mostrá-los aos amigos?

Quando sei que o amigo também gosta de relógios, sim. Por quê? Há algum problema em partilhar uma alegria?

E não te sentes um idiota ao mostrar aos outros a reprodução que fazes, em pequena escala, é claro, das minas do rei Salomão?

O homem abaixa a cabeça e respira fundo. Está visivelmente irritado. A ira é um caminho fácil para os que estão acuados. Ainda que não concordasse com o que acabou de ser dito, sentia-se insultado, vilipendiado pelas palavras, como se nelas houvesse algo que, mesmo não querendo reconhecer, tinha a ver com sua verdade pessoal. Ele mira a menina e tem o impulso de expulsá-la do quarto. Mas não o faz. E, embora identifique a ira que o visita, a menina não se altera. Continua a olhar profundamente para o homem e a dizer:

Não te irrites. É natural que as pessoas construam suas pequenas versões das minas do velho rei. Elas estão a serviço das inseguranças que te atormentam. Há quem colecione carros, louças, joias, chaveiros, moedas, livros que nunca são lidos. Cada um, a seu modo, encontra um meio de dirimir através de recursos materiais os vazios da alma.

E o que sabes sobre os meus vazios?

O mesmo que sei sobre os vazios de todas as outras pessoas. Que eles não podem ser preenchidos pelas coisas. Mas sobre os teus eu sei com um pouco mais de propriedade.

Não tenho tempo para tuas filosofias. Tenho de ir.

Mas deverias ter. Estás sedento de sentido. E o sentido só pode ser renovado pelas vias da reflexão. Quando te reduzes ao contexto de uma vida prática, mecânica, que nunca contempla um espaço para arejar a mente com novas ideias, ficas naturalmente privado de renovar o sentido da vida.

Claro. Tenho uma vida repleta de afazeres. Não me sobra tempo para elucubrações infundadas.

Infundadas?

Sim, para quem tem uma agenda a ser cumprida, ficar falando de sentido da vida antes das oito da manhã não me parece ter sentido. E sinceramente acho que tudo isso que estás dizendo são elucubrações infundadas, sim.

Sei que tens uma rotina de trabalho a te esperar. E não há nenhum problema em ter uma agenda a ser cumprida. O problema é quando a relação com o tempo não te proporciona mais ouvir a voz dos teus desassossegos.

Não tenho desassossego algum. Estou muito bem, obrigado.

O desassossego só é alcançável pelos olhos que olham o dentro. É como um peixe cujo habitat é o profundo do rio.

Há bons peixes que podem ser pescados às margens.

Sim, mas não o desassossego.

Tudo bem, diga-me uma coisa, por que queres tirar a minha paz com essas perguntas inconvenientes?

Mas quem disse que eu quero tirar a tua paz?

Ninguém me disse. Estou percebendo que queres tirá-la.

Só podemos tirar o que o outro possui.

Estás dizendo que eu não tenho paz?

Chegaste a essa conclusão?

Sim, foi o que disseste. Pois fique sabendo que estou repleto de paz. Tão repleto que posso ser indicado ao Prêmio Nobel da Paz.

Não senhor. Essa comodidade que chamas de paz é a tua adaptação ao teu viver sem sentido. Conheces a história do sapo que se adapta à água que o mata sem que ele perceba?

Sim, essa história é velha.

Mas eu vou repetir.

Mas eu não vou escutar.

O sapo é colocado numa panela cheia de água. A panela é colocada no fogo. À medida que o aquecimento da água vai aumentando, o sapo vai se adaptando e deixa de perceber que o ambiente em que está inserido lhe é desfavorável.

Já falei que não quero escutar.

Antes disseste que não irias escutar, agora dizes que não queres escutar. Não vais ou não queres?

E qual é a diferença entre um e outro?

Se não vais, é certo que sairás e me deixarás sozinha. Se não queres, tenho pelo menos a chance de continuar a história.

Meu Deus, como tu és irritante.

O organismo do sapo lhe permite essa adaptação. E assim, adaptando-se gradativamente, morre sem perceber.

Achas mesmo que sou um sapo morrendo sem notar?

Sim, é o que acredito.

Pois deverias rever essa crença. Sou muito atento ao que vivo. Não sou esse boçal que resolveste que sou.

Não te sintas ofendido. É o erro mais comum entre as pessoas nos dias de hoje. Elas facilmente se adaptam aos contextos destruidores em que estão inseridas. A fragilidade emocional é a grande vilã na privação da lucidez. E não estando suficientemente lúcidas as pessoas perdem a destreza de identificar a ambiência existencial desfavorável. E então passam a viver em irrefletidos processos de morte lenta.

Tens razão.

Já temos uma pequena evolução.

Qual?

Concordaste comigo.

Claro, finalmente disseste algo que faz sentido.

Requer coragem para romper com o processo vicioso da comodidade porque todo rompimento gera enfrentamentos dolorosos. Estando adaptadas aos conflitos, as pessoas deixam de incomodar outras. E não incomodando são mais facilmente aceitas.

O que toda pessoa quer. Ser aceita.

Sim, mas não faz sentido abrir mão da verdade pessoal para receber essa aceitação. Deixar de enfrentar as questões que temporariamente lhe tornariam menos atraente aos amigos só para que desfrutes de uma pequena ponta do cobertor social? Não creio que valha a pena. Mais vale o frio ao relento, a solidão frutuosa, o embate pessoal que fortalece e amadurece. Não achas?

Mas é muito cruel não ser aceito pela sociedade.

Mas a desproteção de não ser aceito passa. O problema maior é romper as primeiras barreiras, parir o primeiro grito, viver o movimento inicial do assombro. As barreiras secundárias vão caindo naturalmente. E depois de experimentar a satisfação da verdade nada mais passa à frente desse objetivo. Um ser verdadeiramente livre nunca finaliza o seu processo de "vir-a-ser", porque a liberdade interior é um dom que todos recebem, mas nem todos chegam a conhecer. Mas os que experimentam os benefícios do seu desabrochar, dele se tornam dependentes. Depender da liberdade é uma dependência que faz sentido.

Mas não é tão simples assim. Os condicionamentos que aprisionam lançam âncoras no profundo da gente.

Sim, mas ao recolher a primeira âncora, por menor que seja, o ser humano volta a conhecer o benefício da verdade que liberta. E quem um dia conheceu o gosto da liberdade interior nunca mais quererá viver de outra maneira. Ser livre é um processo que nunca termina. E a adaptação ao conflito, a perda de percepção do "não ser" como uma imposição social, a eterna negação dos processos que matam a idiossincrasia, a privação da coerência pessoal, condenam o ser humano ao cárcere da infelicidade.

Falas como se tudo isso se aplicasse a mim.

E não se aplica?

Não, acho que não.

E se abrisses mão do achismo, o caminho mais fácil?

Por favor, eu preciso ir.

Sim, precisas, mas sei que já não queres ir.

Muitas enfermidades acontecem porque subjugamos o corpo a uma rotina diferente do que pede a alma.

Sobre o corpo que não ouvimos

O homem caminha de um lado para o outro. A expressão do rosto indica um conflito estabelecido. Precisa dar continuidade ao ritual prático que o deixará preparado para enfrentar o compromisso que o espera, mas ao mesmo tempo percebe-se afetado pelas palavras da menina. Há enfrentamentos que nos chegam quando não esperamos por eles. Basta uma palavra, uma frase, e o mundo interior, até então adormecido, recobra o direito de interrogar. O homem experimenta a precisão cirúrgica daquelas palavras. E, por um instante, vive um breve esquecimento do ritual que antes cumpria. Já não sabe o que ainda lhe faltava fazer para poder sair. A conversa o distraiu. Do que mesmo ele precisava agora? Fecha os olhos e se concentra. Estava escolhendo um relógio. A escolha foi interrompida pela conversa sobre o tempo. Recorda-se. Precisa guardar na pasta o presente que a esposa preparou para que ele oferecesse a um de seus colaboradores. Ele abre uma gaveta e o encontra. Ao acomodar o presente na pasta, confere o que dela nunca se ausenta: uma caneta, uma carteira de documentos pessoais, um calhamaço de papel e uma agenda. Todos os movimentos obedecem a uma competência técnica, fruto de uma memória que facilmente elenca a rotina que nunca lhe permite o esquecimento. A menina o observa.

Aonde vais?

Por favor, não recomeces.

Não posso perguntar aonde vais?

A muitos lugares.

Eu sei.

Então por que perguntas?

Eu me refiro ao teu primeiro compromisso.

Uma reunião no escritório com um executivo que veio da China para fazer negócios com a nossa empresa.

Acarretaria muito prejuízo se a cancelasses?

Tens dúvida?

Sim, tenho.

Não sejas tola. Um homem se desloca do outro lado do mundo para me encontrar e eu vou deixá-lo esperando?

Mas não poderias adiar?

Não preciso adiar.

Tem certeza?

Sim, tenho!

Que pena!

Mas por que eu a adiaria?

Para que pudéssemos continuar o que começamos.

Não começamos nada.

Claro que começamos. Da mesma maneira como o chinês cruzou o mundo para te encontrar, começaste a cruzar as fronteiras de teu mundo interior. E seria tão interessante se pudesses aproveitar o impulso que tomaste.

Não cruzei fronteira alguma.

Cruzou, sim. Tanto é que já ameaçaste algumas vezes ir embora e não foste. E tudo porque percebeste que estamos falando de questões importantes pelas quais demonstraste interesse.

Questões importantes? Não para mim. Até permiti que falasses, mas confesso que foi por mera curiosidade.

Claro que são importantes para ti.

Não digas por mim.

Sei que estavas envolvido com o que dizíamos. Já disse e repito: tens a alma sedenta. Sede de sentido. Sei que ficaste fisgado pelas questões referentes ao tempo. É assim mesmo. É preciso reacender a chama que te mantém reflexivo. Não faz sentido um ser humano ser estranho a si mesmo. O autoconhecimento é o grande benefício que advém da reflexão que fazes sobre ti.

Minha querida, eu sou a parte prática do mecanismo que permite o funcionamento desta casa. Não tenho tempo para reflexões infundadas. Eu pago contas.

E não estás feliz vivendo assim. Se concedesses um pouco mais de calma ao teu corpo, um pouco mais de reflexão à tua alma, talvez experimentasses alguma satisfação nos desdobramentos práticos de tuas funções. E pagarias as contas com menos desgosto. O lúdico é fundamental para a saúde humana, sabias?

Como ousas dizer que pago minhas contas com desgosto? Por acaso achas que sou mesquinho?

Eu não disse isso. Eu me referia à possibilidade de tu seres um pouco mais feliz. Tu te ofendes com muita facilidade. Isso é sinal de cansaço emocional.

É arriscado opinar sobre quanto o outro tem sido feliz, não achas? Mesmo porque felicidade não é mensurável.

Sim, tens razão. A felicidade nunca é mensurável, mas é possível percebê-la. Não se trata de medir ou pretensiosamente submetê-la a uma quantificação, mas sim de identificar quanto dela experimentamos. A felicidade não faz propaganda de si, mas deixa sinais. Há muitas pessoas infelizes escondidas em fachadas falsamente pinceladas de felicidade. Alardeiam para que os outros se iludam de que estão felizes, como se o observar alheio pudesse criar-lhes satisfações pessoais.

E é certo que não podes saber por mim se estou ou não sendo feliz.

Esqueceste que sentimos juntos?

Nunca sentimos plenamente juntos. O sentir do outro não é todo alcançável. Fica sempre um espaço intransponível, um limite que não pode ser retirado. Afinal de contas, quem és tu?

Não insistirei na dimensão simbiótica do nosso sentir. Limito-me a dizer que tuas insatisfações estão estampadas em teu rosto. E nele tua verdade está exposta. É pelos olhos que te confessas ao mundo, ainda que nunca digas uma só palavra.

E o que dizem os meus olhos?

O contrário do que diz a boca.

É tão contraditório assim? Há uma oposição entre o que digo e o que expresso quando olho?

Assim eu percebo. Tu dizes que está feliz, em paz, mas os teus olhos não confirmam essa felicidade nem tampouco essa paz. Estão rasos, opacos, como se solicitassem ajuda.

És especializada em ler olhos?

Tu tens o hábito de recorrer ao deboche sempre que acuado?

Não estou debochando. É só para descontrair.

Levas o mundo sobre os ombros. E a cada dia aceitas mais um retalho, ainda que saibas que estás suportando acima de tua capacidade. Multiplicas diariamente tuas demandas de trabalho. São estruturas demais para que sejam colocadas sobre um homem só. É humanamente impossível de resistir. Já notaste que teu corpo tem sido um obstáculo a ti mesmo?

Como assim?

Tens compromissos demais para serem cumpridos por um corpo só. É desumano o que dele esperas. Desconsideras que teu corpo não é um mecanismo, mas um organismo que funciona sob os estatutos da fragilidade, incapaz de dar conta de todas as demandas que organizas para ele.

Eu gosto de trabalhar.

Ninguém está dizendo que não gostas. E seria um desvio de caráter não teres disposição para o trabalho. Ele é indispensável à realização humana. Mas até para o que realiza, e faz bem, é preciso moderação. O corpo precisa ser ouvido. Ele tem regras. Queres colocar o mundo inteiro num estreito limite de carnes e ossos. Acatas, ainda que inconscientemente, todas as expectativas dos que participam de tua ambiência de trabalho. E, como pretendes ser por todos admirado, condenas o teu corpo a uma rotina exaustiva, desumana, porque é sobre ele que as expectativas se materializam.

Há tantos exageros em tuas colocações.

E pouca honestidade em tuas considerações.

Tu me ofendes a todo momento. Agora me chamaste de desonesto.

A menina sorri. No sorriso há um carinho explícito, envolvente, como se pretendesse retirar a ofensa ou que alforriasse o homem da desonestidade comprovada. O homem sorri também. Entende o afeto da fala, a palavra dura que não pretendia outra coisa a não ser comunicar-lhe um bem querer. Já há entre eles um tênue e delicado entrelaço existencial. O ser do homem vai aos poucos rompendo a couraça da proteção, quebrando a armadura que tanto o defende da verdade. O ser que no mais profundo vive ousa romper a laje da defesa, permitindo que as palavras da menina construam uma intimidade entre eles. A menina recomeça.

Do tempo que não tens, ao corpo que também não tens.

Aos teus olhos eu não tenho nada. Nem o tempo, nem o corpo.

Sim, não tens o corpo que precisarias ter para tuas demandas. Nem tampouco o tempo. Mas tens muitas possibilidades. No contraponto dessas possibilidades estão os teus limites. Por mais que queiras não percebê-los, eles existem. Mas a ambiência em que vives nunca cessa de te oferecer oportunidades. Tua competência chama por demandas. Todos se sentem muito seguros quando assumes o comando. Mas és um só. Mil projetos para um homem só. Sartre viu nesse excesso a origem das angústias pós-modernas.

O que ele disse?

Sartre compreendeu que a pós-modernidade derramou sobre o ser humano uma infinidade de possibilidades. O mundo alargou-se, abriu portas, ofereceu caminhos. A gênese das angústias está nas possibilidades. Escolher será sempre um processo angustiante. Sem elas não há escolha, não há conflito. O ser humano que antes não tinha muito o que escolher vivia menos conflitado.

Sim, ele tinha razão.

E é experimentando esse muito poder fazer que o limite da escolha se impõe. Tudo está à disposição, mas a vida é curta e limitada para tantas possibilidades. Ao ter de lidar com as escolhas, o ser humano experimenta uma angústia existencial atroz. É nesse aspecto que Sartre concebe a liberdade como condenação. Diante de um mundo repleto de oportunidades, o ser humano estará sempre condenado a escolher. E das escolhas nascerão sofrimentos.

Perfeita a reflexão de Sartre.

Também acho.

Escolher angustia.

Sim, porque toda escolha comporta muitas renúncias. Ao escolher ser advogada, a pessoa abre mão de exercer outras profissões. Ou, se por acaso resolver escolher dois ou três ofícios, gastará o curto espaço de sua vida pensando que poderia ter escolhido outros. Não cabe no tempo tudo o que se pode.

Verdade.

Um único corpo para tantas possibilidades. Mas esqueces disso. Abraças o mundo e depois percebes que não tens o tempo necessário para cuidar de tudo. Não cabe na estrutura dos dias a agenda que precisas cumprir. O tempo que te falta repercute no corpo que não tens. Um único corpo para uma infinidade de demandas e atribuições.

Continuo achando confusa essa história do corpo.

És um território frágil, finito, regrado. E a consciência de tua fragilidade te aflige. O corpo tem limites, adoece, pede repouso. E isso é inadmissível aos teus olhos, um atraso para tuas pressas, uma afronta à tua agenda de compromissos inadiáveis. Embora saibas que não és infalível, interpretas-te superestimando as possibilidades do teu corpo. E então reproduzes em ti a angústia refletida por Sartre.

Tens razão. O meu estilo de vida muito pouco tem contribuído para que a angústia não prevaleça. Vivo muito angustiado sabendo que tenho de escolher entre isso e aquilo. Tenho sempre uma tendência a querer escolher tudo, não deixar escapar nada, como se me restasse pouco tempo para viver.

Essa ansiedade gera frutos nocivos. Impõe ao corpo uma cruel escravidão. E ele precisa obedecer, ainda que essa obediência venha te ceifar a vitalidade. Vives apressado e cansado. Tudo o que não cabe no tempo é consequentemente imposto ao corpo. Um depósito de excessos que desconhece tréguas. Ele é o receptáculo do estrangulamento das inúmeras demandas. É na carne que as excessivas exigências das horas se acumulam. A mente sobrecarregada desencadeia no corpo um sofrer que se acumula silenciosamente. Exposto ao excesso, o corpo se fragiliza, deixa de produzir a química que precisa para reequilibrar seu funcionamento.

Mas eu não lido tão mal com o meu corpo.

Não é verdade.

Por que dizes isso?

É só olhar a maneira como lidas com o tempo. É o que acabei de dizer. Tempo e corpo estão igualmente colocados sob a mesma ditadura. É na materialidade do que és que te experimentas cronológico. Tu és um lugar do tempo. Mas nem sempre consideras que há um limite a ser observado. Há uma sabedoria bíblica que prescreve: "Debaixo do céu há um tempo para cada coisa". Essa premissa está esquecida. As pessoas estão condicionadas a uma dinâmica existencial que desqualifica sempre mais a boa relação com o tempo. E o corpo padece. É nele que os excessos são despejados. A ansiedade por um tempo que nunca se tem desencadeia doenças físicas e emocionais. Tudo porque o corpo deixou de ser ouvido. Desaprende-se sua linguagem. Seres estranhos aos corpos que são. Os sinais que ele envia são desconsiderados. A rotina extenuante faz com que as pessoas deixem de fazer a própria leitura corporal. E estando desconhecedoras de si mesmas, perdem a destreza de encaminhar soluções para os problemas que hospedam e alimentam. Doenças silenciosas que não são descobertas porque não houve tempo para ir ao médico. Sintomas, incômodos, uma infinidade de desconfortos físicos e emocionais que não são ouvidos. Cansaços ignorados, excessos não percebidos.

Não posso negar. Estou muito desgastado. E tens razão quando dizes que o corpo é vítima de nossa estranha relação com o tempo. Às vezes passo por cima do meu cansaço. Poderia dormir mais cedo, mas não o faço. O tempo que seria para uma reposição de forças, desperdiço-o sem nenhum critério.

Sim. Observa-te. Há muito deixaste de ouvir a voz do corpo. Desaprendeste de lidar com ele. Ele pede socorro, mas tu não ouves o pedido. Precisas que ele esteja sempre disposto. E por isso digo que ele se tornou um obstáculo. Porque é impossível extrair dele toda a disposição de que precisas para o que pedes de ti.

Sim, mas, embora esteja necessitado de descanso, eu me acho um homem saudável.

É porque ainda não sofres as desarmonias que chegarão com a idade. Subjugas um corpo relativamente jovem ao jugo de uma escravidão que foi naturalmente socializada. Um dia a fatura chegará. Por enquanto, sobrevives desconsiderando teus resfriados, alergias, fomes prolongadas, sono sem qualidade, teu sedentarismo sob disfarce.

Não sou sedentário. Sempre que posso faço esporte pelo menos duas vezes por semana. Já é alguma coisa.

Sim, até tens o propósito, mas nunca o cumpres. E, mesmo quando o cumpres, de nada adianta. Sabes muito bem que os especialistas prescrevem que para não ser sedentário é necessário exercitar-se ao menos três vezes por semana.

Eu tento.

Não o vejo tentar. Tens muita dificuldade em estabelecer uma rotina saudável. Não incorporas aos teus dias os hábitos que possam favorecer tua saúde. Estás perfeitamente adaptado a uma rotina extenuante que não contempla o descanso, uma alimentação saudável. E o teu sono nunca tem qualidade.

Não é verdade. Durmo pouco, mas durmo bem.

Mentes mais uma vez. Para se dormir bem é necessário ritual. Já percebeste que o teu celular te acompanha até mesmo quando já estás deitado em tua cama?

Sim, tenho o hábito de consultar uma última vez meus e-mails e minhas redes sociais antes de dormir.

E o fazes deitado.

Sim, algum problema?

Não vês um distúrbio nesse hábito?

Confesso que não.

Esse é o problema.

Qual?

Perdeste a capacidade de criticar teus hábitos doentios.

Não me considero doente por consultar meu telefone na minha cama.

Sim, acabaste de dizer que consideras normal levar o invasor para o leito.

O celular é um invasor?

Sim, um invasor perigoso. Nele estão todos os elementos que podem prejudicar a tua harmonia interior.

Discordo. Nele também posso consultar coisas positivas que me relaxam.

Mas quase nunca isso acontece.

Sim, tens razão, mas eu não corro atrás de notícias que possam me perturbar.

Mas não precisas procurar por elas. A partir do momento que baixas a guarda do teu descanso, ficas vulnerável ao que pode te afligir. Ao consultar o invasor, favoreces o contato com as situações que podem te usurpar o sossego de que precisas para dormir bem. Levas para o leito o invasor por onde outros invasores acessam tua mente e coração. A mudança aconteceu sem que percebesses. Em outros tempos fecharias a porta do teu escritório e só reencontrarias as questões de trabalho no outro dia pela manhã. Chegavas em casa, ouvias uma música, conversavas amenidades. A higiene mental acontecia naturalmente. O rito se encarregava de fazer as abluções mentais, livrando-te das perturbações que ao longo do dia acumulaste sobre ti. Teu corpo agradecia. O intervalo estabelecido entre o fim do expediente de trabalho e a hora de dormir funcionava como uma decantação. Hoje, não. No pequeno aparelho levas a tua mesa de trabalho. Com um agravante. Levas todos os que constroem a tua teia de atribuições. Todos ao alcance de uma tecla. E então te colocas a buscar informações que em outros tempos esperarias o reabrir das portas do local de trabalho. E nem sempre o que ficas sabendo é favorável ao teu descanso.

Mas nós estamos adaptados a essa nova forma de viver. Não é possível retroceder, reassumir a vida profissional como fazia o meu pai, fechando as gavetas de suas responsabilidades e reabrindo-as somente no dia seguinte. Tu não podes negar que a rapidez com que nos comunicamos também tem inúmeros benefícios.

Essa resposta é a mais simples. E está perfeitamente justificada às regras de tua adaptação social. A questão que a antecede também merece ser refletida. Quanto te custa ter esses benefícios? Ainda não viste as consequências das invasões promovidas pela pós-modernidade. Esta geração ainda não envelheceu o suficiente para que saibas quais serão as consequências das tais possibilidades. O que podes, por ora, é identificar o surgimento de neuroses decorrentes dessa nova forma de viver. São neuroses que ainda não receberam o batismo conceitual, porque ainda estão sendo construídas. Quando achas que receberás a fatura dessas facilidades de que hoje desfrutas?

Não sei se tens razão em tudo o que dizes. Preciso concordar que às vezes exagero. Perco o sono porque acabo tendo contato com situações que não posso resolver naquela hora. E então a preocupação me tira o sono. Se estivesse no escritório, e se não houvesse o celular que me deixa disponível durante vinte e quatro horas, talvez eu me incomodasse menos.

É assim que acontece normalmente. As pessoas se sabotam. Estão imersas numa rotina desfavorável à saúde, mas não conseguem alterar a ordem dos fatos. Sabem que não deveriam fazer, mas o fazem. E o estar disponível o tempo todo acabou retirando das pessoas algumas regras da boa educação.

Quais regras?

Telefonar tarde da noite, por exemplo. Antes existiam dois tipos de telefone. Comercial e residencial. A boa educação postulava que uma ligação para a residência, com objetivos de tratar de coisas de trabalho, só deveria ser feita em caso de urgência extrema.

Verdade.

Agora os números dos celulares são distribuídos inescrupulosamente. As pessoas ligam a qualquer hora, enviam mensagens o tempo todo, conversam enlouquecidamente através dos aplicativos de comunicação.

E ainda criam grupos.

Sim, grupos para todas as finalidades.

Mas há um benefício em tudo isso. Esses recursos também aproximam.

Claro, não nego. Tudo pode ser bom, mas quando os critérios fazem as malas, restam somente os dissabores. A facilidade gera o excesso. A rotina vai expulsando o bom senso, as pessoas vão deixando de perceber que estão assumindo comportamentos deselegantes. E então o mundo pessoal passa a ser um lugar de constantes invasões. E, acostumadas à invasão, as pessoas passam a viver rotineiros e socializados processos de autossabotagem.

Sim, tens razão.

Observa os teus amigos. Estão todos submetidos ao mesmo mecanismo de sabotagem. É como se jogassem para perder, ainda que estejam todos enganosamente motivados a se tornarem vencedores. O vencer na vida profissional confundiu-se com o sucesso financeiro. Com isso as satisfações são expulsas do processo. A exaustão do corpo fica justificada pelo resultado monetário. O dinheiro justifica o martírio a que ficam submetidos corpo e alma. E então falta tempo para ser feliz. Falta tempo até mesmo para desfrutar o resultado financeiro que o trabalho proporcionou.

Não é bem assim. Tu falas como se fosse uma regra sem exceção.

São poucas as exceções.

Não acho que sejam tão poucas.

Sim, bem poucas. E não é sem motivo. O caminho estreito da realização humana nunca é o mais atraente. As pessoas estão condicionadas à pressa que nunca permite a crítica da vida que levam. Teus amigos ricos vivem como pobres, embora estejam todos impecavelmente vestidos, morando em belas casas como esta em que moras, usando relógios caros como os que guardas, andando em seus carros luxuosos, aviões, barcos e helicópteros. A riqueza material, quando não revestida de significado afetivo, que só o cultivo emocional proporciona, limita-se a ser um fardo a ser administrado. E, se é fardo, não é riqueza.

Pobres ricos?

Ou ricos pobres.

O que nos enriquece é a sensação
de viver como se nada tivéssemos.

Sobre as riquezas que não enriquecem

A conclusão parece ressoar no coração do homem. A menina sabe o que provocou. Despertou em sua mente uma ebulição de ideias, lembranças. Ocorre-lhe a necessidade que sente de desfrutar a casa que construiu. Um encontro com o desejo que por vezes solicita voz, mas nem sempre recebe. Toca delicadamente o ressentimento de ainda não ter feito escolhas simples, como permitir-se o ócio, o nada fazer, e identifica que a menina tem razão no que alerta. O homem mergulha em si. Depois da palavra certeira é preciso deixar que o silêncio faça sua parte, assim como o tempo se encarrega de decantar o vinho. O homem escolhe uma gravata e começa a construir o nó. O movimento não precisa ser pensado. Corresponde a um saber incorporado há anos. Foi observando o pai que o conhecimento aconteceu. A habilidade lhe permite acertar em poucos minutos a gravata ao pescoço. Ao fazer o ajuste final, olha para a menina, que também nele tem o olhar.

> Sabes fazer um nó bem-feito como este?
> Não, nunca precisei de gravatas.
> Claro. Tu és uma menina.
> Essa gravata está te oprimindo demais, não achas?

Minha gravata não está apertada. Ela só está devidamente ajustada ao pescoço, como tem de ser. Além do mais, acabaste de admitir que não entendes de gravatas.

Posso não entender, mas percebo que ela te oprime.

Ela não está apertada.

Eu não disse que ela está apertada. Apenas disse que ela está te oprimindo.

Já disse que não estou oprimido pelo nó da minha gravata.

Ela não te oprime materialmente. Aliás, ela está muito bem acertada ao teu pescoço. Fazes muito bem um nó de gravata. Eu me refiro à opressão que ela representa.

E que opressão ela representa?

Nem imaginas?

Não, confesso que não.

Já disse, mas vou repetir. É lamentável que estejas tão adaptado aos teus desconfortos, a ponto de não mais percebê-los.

Qual é a opressão que minha gravata te sugere?

Os teus excessos.

E quais são eles?

São os que falávamos há pouco e mais alguns outros. Os que buscas quando colocas a gravata e atravessas as portas que te levam aos destinos de tuas ambições, à busca das riquezas que não enriquecem.

Um homem sem ambição não alcança resultados na vida.

Discordo.

E não me surpreendes em discordar. Desde que começamos nossa conversa em tudo discordas de mim.

E isso é ruim?

Não sei.

Estás acostumado com os bajuladores.

Não tenho bajuladores.

Claro que tens. Vives rodeado deles.

Chamas meus colaboradores de bajuladores?

Sim, pois, ainda que não concordem com tuas posturas, eles evitam dizer. E assim optam pelo falseamento. Eles temem contrariá-lo. É natural que, ao deixar de te autoconheceres, construas uma casca que não permita o acesso sincero dos outros. Até tentam, mas, ao perceberem que pela verdade não obterão bons resultados, adaptar-se-ão à mentira, ao falseamento. E então passam a reforçar em ti as vaidades, os excessos, tudo o que é nocivo a ti mesmo.

Às vezes percebo que um ou outro não é completamente sincero comigo.

E não é porque não querem ser.

Achas que eles têm dificuldade de me contestar?

Sim, porque é muito fácil impor ao outro, ainda que não percebas que o fazes, uma forma mentirosa de cumplicidade. O outro gostaria de discordar, alertar-te de teus erros, mas sabe que ferirá a aparente relação harmoniosa que mantém contigo.

Vamos voltar às riquezas que não enriquecem?

Como quiseres.

E quais são elas?

As que nunca recebem a bênção do significado, as que são produzidas à custa de um esforço desumano, as que nunca provocam satisfação na alma, as que são usadas para uma projeção externa das inferioridades interiores, as que são conquistadas para serem meramente mostradas e que por isso se transformam em um peso com o tempo. Como os teus relógios, por exemplo.

Meus relógios não são pesos para mim.

Mas eles simbolizam bem as riquezas que não te enriquecem.

Por quê?

Porque deles não nascem alegrias que também podem ser sentidas por outros. O que eles provocam é sempre solitário.

Mas há algum problema em cultivar alegrias solitárias?

Não, nenhum, desde que estejam alinhavadas à verdade do que buscas. Se sondares com sinceridade, perceberás que eles se desprenderam da alegria inicial. No início, quando começaste o gosto por eles, sentias um imenso prazer em procurar, comprar e usar. Mas depois a lida com eles foi ficando mecânica. Um vendedor especializado te traz o mostruário, escolhes dois, três de cada vez, guarda-os, e há muitos deles que nunca foram sequer colocados no braço. Tudo porque tua vida não te permite mais a calma, o sossego, a tranquilidade de um dia em casa. Tu experimentas um vazio existencial cruel. Tens riquezas materiais, mas elas não te tornam rico, porque estão ocas, sem conexão com a vida.

Por que afirmas isso?

Porque te observo atentamente. O teu arsenal de relógios, assim como outros arsenais materiais que tens, está a serviço de um vazio que nenhuma matéria pode preencher.

Que lugar-comum. Leio esse tipo de coisa todos os dias.

E mesmo assim ainda não percebeste que o discurso comum se aplica perfeitamente à tua realidade?

Não acho. Mas vamos lá, por que achas que meus relógios estão a serviço de um vazio?

Antes de ser um vazio, é uma conexão inconsciente. Relógios marcam o tempo. Gostarias de ter o controle do tempo. Mas não o tens. Então buscas uma compensação colecionando relógios. Tu os colecionas porque queres ter tempo, como Saramago o queria. Mas nunca o tens. O vazio advém desse desejo que não consegues realizar. E por isso materializas nos relógios essa frustração.

Todo mundo gostaria de ter um pouco mais de tempo. Esse não é um problema só meu.

Mas não me refiro a um tempo qualquer. Eu me refiro ao tempo que te permitiria desfrutar do que tens e dos que amas. Tua alma clama por vagarezas, contemplações. Mas deixaste de ouvir o corpo. E, não ouvindo o corpo, deixas também de ouvir a alma.

E por que eu precisaria de vagarezas?

Para que pudesses contemplar as riquezas que nutririam tua satisfação interior. E a partir dela a matéria ganharia significado, deixaria de ser um fardo.

Eu tenho satisfação interior. Sou um homem feliz.

Não é verdade. Há anos precisas de medicamentos que te façam viver com a incipiente disposição que tens, e nunca trabalhaste com a possibilidade de encontrar o contentamento através da mudança de hábitos. Preferes o entorpecente, o caminho que não exige perícia e disciplina. Com ele tu adias constantemente os conflitos, mas não os resolves. Sempre procrastinados. Uma cápsula no lugar de uma atitude, e assim a vida vai passando.

O que tens contra a indústria farmacêutica?

Nada. Ela existe para tornar a vida mais duradoura, para curar a dor, para sarar e prevenir enfermidades. Não é nenhum problema fazer uso de um medicamento em fases críticas da vida. O grande equívoco é socializar a mentalidade de que o medicamento dispensa o esforço. O erro é depositar nas cápsulas a reponsabilidade de fazer o que deveria ser feito através dos empenhos da vontade. O que deveria ser temporário acaba se tornando definitivo. O medicamento ajuda a estabilizar a química corporal que a vida desregrada desarrumou. E então se aproveita o seu bom efeito para encaminhar mudanças que antes não eram possíveis por falta de ânimo, tristeza excessiva, apatia, depressão, ansiedade. O medicamento é complemento, auxílio para o agir e a reorientação da conduta. Seria uma insanidade usá-lo apartado de mudanças de comportamento.

Talvez tu tenhas razão. Acabei me acostumando com os efeitos que alcancei com a medicação e não busquei outras possibilidades.

As cápsulas te enclausuram na mesmice. A inércia te priva da reflexão que problematizaria as escolhas infelizes que continuas fazendo. E então te acomodas a uma rotina infértil, doentia. Cápsulas para dormir, cápsulas para acordar e permanecer acordado. Suportas o fardo apoiado por elas. Se tivesses a substância correndo em tuas veias, abraçada a um empenho de uma vida mais saudável, é bem provável que já tivesses mudado muitas coisas em tua maneira de pensar, sentir e agir.

Não sei.

Ruir é importante.

Como assim?

A vulnerabilidade não pode ser mascarada. Somente quando tocamos as consequências de nossa fragilidade é que podemos nos despertar para o verdadeiro cuidado. E então sofremos e permitimos chegar ao pó de nossa realidade. Só depois disso o recomeço é possível. A cápsula pode estar te privando da desconstrução normativa, pois te anestesia temporariamente do desconforto, da crise que te coloca diante da oportunidade de fazer ruir os teus falsos alicerces.

Mas quando é que posso saber que são falsos?

Quando identificas o mal-estar que pede pela cápsula.

Preciso ir. Outra hora continuamos.

Conheces a história de Jó, o personagem bíblico?

Já ouvi falar, mas confesso que desconheço o enredo.

É interessante.

Por quê?

Jó é um exemplo positivo de desconstrução.

Podemos continuar a conversa noutra hora?

Prometo não demorar.

Jó é aquele personagem bíblico cujo sofrimento foi provocado pelas punições divinas?

É uma das leituras que o texto sugere. Mas a mim não interessa a origem do sofrimento. Acho desnecessário atribuí--lo a Deus.

As religiões gostam dessa atribuição.

Estão mudando.

Não percebo.

Claro, não frequentas nenhuma Igreja. Como é que poderias perceber a mudança?

Falo pelo que percebo no mundo.

Tua percepção está muito limitada. Em muitas consciências a mudança já ocorreu. Já estão iluminadas pela certeza de que o sofrimento faz parte da condição humana e que consiste em perda de tempo querer identificar sua origem. Alguns atribuem a Deus, outros ao Diabo. Muitos já o compreendem sem a aura do sobrenatural. O sofrimento é humano. Ponto-final. Não há como desfrutar a condição humana sem tocá-lo. Seria imaturidade imaginar uma vida sem sofrimento.

Mais sábio é aprender a lidar com ele.

É o mais sensato a fazer. É na lida com ele que se aprende a compreender que nem tudo pode ser respondido. Há mistérios que as perguntas não alcançam. É inútil perguntar. O que se pode fazer é acolher dentro de si o desconforto e ouvir calmamente o que ele tem a dizer. Só assim o aprendizado se torna possível.

É verdade.

Volto a Jó.

Por favor, não demores, pois preciso mesmo ir agora.

Em Jó o sofrimento desconstruiu o porto de sua segurança. Fez com ele o mesmo que a morte fará com todos. Arrancou-lhe os recursos exteriores que até então davam significado à sua vida. Amigos, status, dinheiro, reconhecimento público. E então ele se viu nu. A nudez lhe doeu num primeiro momento, mas ela se encarregou de encaminhá-lo ao cerne de si. E assim cumpriu o seu efeito positivo. Livre dos significados exteriores, Jó passou a sondar os significados que estavam albergados em si. Sob os véus da desolação, viu-se como nunca tinha podido se ver. Nu, original, verdadeiro, completamente livre dos excessos que a vida lhe permitiu colocar sobre si. Somente depois desse despojamento, desse duro processo de desconstrução, é que Jó pôde colocar os pés no caminho da superação.

Mas poderia ter feito sem sofrimento. Conheço muitas pessoas que não careceram de fazer o trajeto do personagem bíblico para que alcançassem seus objetivos.

Também conheço. Embora o sofrimento seja o principal caminho por onde se pode alcançar a sabedoria, há outras formas de chegar até ela.

Mas falávamos das riquezas que não enriquecem.

Sim, e continuamos falando sobre elas. Só o despojamento permite tocar o essencial da riqueza.

É contraditório.

Não é.

Eu acho.

As coisas materiais e seus contextos concedem a ilusória sensação de proteção. E sob essa pretensa proteção distancia-se da capacidade de saber o que realmente importa. E assim se perde dos significados, do profundo estado de identificação dos valores que se possuem ou que se possam vir a possuir.

Mas não podemos desconsiderar o valor das coisas.

Claro que não. Mas é necessário criar condições para que o valor das coisas seja sempre refletido à luz do que és.

A velha questão do ser e do ter.

Sim, a velha questão que ainda não foi suficientemente compreendida porque abarca duas buscas muito distintas. Complementares, mas distintas. Só o equilíbrio entre o ser e o ter reveste o humano de harmonia.

É um equilíbrio difícil.

Sobretudo para os que se acostumaram à ditadura do consumo, para os que se adequaram ao sistema que compreende o ser como eternamente secundário ao ter.

Boa parte das pessoas, eu diria.

Sim, é um problema de muitos.

Por quê?

Por ser um caminho que não recruta o despojamento.

Como assim?

O ter se assemelha à dinâmica da acumulação. A materialidade que envolve as pessoas exerce enorme influência sobre elas. E, embora saibam que a matéria é limitada, as pessoas se iludem que encontrarão nela plena realização. O gozo material é sempre fugaz. Gera imensa frustração tão logo é alcançado. Se não acompanhado de satisfação espiritual, que é quando o significado emocional da conquista se sobrepõe à matéria, o gozo assume um caráter frustrante, pois desemboca no vazio.

Mas seria um problema que só aos ricos atinge?

Não, também os pobres não estão livres desse vazio. O aprisionamento do ter se estabelece mesmo quando não se trata de grandes riquezas. O apego não diz respeito somente ao valor do objeto, mas sobretudo à sua capacidade de gerar dependência, confundir as pessoas na percepção do essencial, passando à frente das realidades que se referem ao ser, deixando-as cada vez mais distantes das riquezas que não poderão ser colhidas na materialidade que no mundo está à disposição.

É verdade. Somos cada vez mais dependentes do que temos porque descobrimos no que temos uma substituição mais simples para fazer a vida valer a pena.

Há outro aspecto a ser observado. O ter não se aplica somente ao desejo que se realiza, mas também ao desejo que inebria, embora nunca seja realizado. O tempo gasto com o que se deseja ter, ainda que nunca se venha a tê-lo, também gera prejuízos, pois retira a pessoa do itinerário da maturidade afetiva, privando-a de alcançar o que a ela está verdadeiramente disponível, dentro de seu alcance.

É uma questão de todos nós.

Sim, os pobres também cultivam riquezas que não enriquecem. A crise do ser é uma questão humana. Ela não se restringe a uma classe social. A matéria, por mais simples que seja, pode se tornar um obstáculo ao cultivo dos valores que enobrecem a vida humana. Uma pessoa simples, por exemplo, também pode experimentar o apego desordenado ao pouco que se tem. Há poucos que também geram discórdias, separações, rompimentos afetivos. Tudo porque há uma interpretação equivocada dos bens materiais. O materialismo é um obstáculo natural à vida espiritual.

Que não é necessariamente religião.

Perfeitamente. Vida espiritual é uma necessidade humana. É pela via da espiritualidade que o ser humano se valoriza e preenche de sentido a vida que vive. Há muitas fontes de vida espiritual. As religiões são apenas uma das muitas. Mas as artes, a ética, a filosofia, o trabalho, o conhecimento são fontes de possíveis alimentos espirituais. A pobreza que enriquece diz respeito sobretudo a essas fontes. Elas aparentemente são inferiores a um barco ancorado num belo estaleiro, a uma casa suntuosa no alto de um monte ou até mesmo a um bilhete aéreo de primeira classe para um destino fabuloso. Mas isso é cultural. E será cada vez mais assim à medida que o materialismo assolapar a espiritualidade. A sociedade tende a ser cada vez mais seduzida pelo bem material, em detrimento do bem espiritual.

Até quem tem pouco vive o conflito.

Ainda que o valor possuído seja irrisório, ele pode despertar dependência. Essa dependência cega para outras necessidades humanas, aquelas que não passam pelo que o dinheiro pode trazer. Desfrutar do amor de um filho, por exemplo, não é um fruto material. Dele receber um olhar amoroso, fiel, te enriquece de uma maneira diferente.

O amor sempre será nossa maior necessidade.

E por isso é tão difícil amar e ser amado quando o materialismo se sobrepõe nas escolhas da pessoa.

Porque acaba retirando-nos do cultivo diário.

Na ânsia de enriquecer, conquistar, acumular, trabalha-se mais do que se deveria, ausenta-se mais do que se poderia.

E nem sempre percebemos.

Porque a dinâmica da vida material retira a capacidade de perceber as fomes e as sedes do espírito.

Mas elas continuam lá.

Sim, a gerar um prejuízo que cedo ou tarde será cobrado.

Com juros e acréscimos.

A vida espiritual é que sustenta a casa da existência ao final da vida. Ela é a responsável por oferecer as estacas da sustentação da tenda da vida. Ao final de tudo ela contará muito. Ninguém morre abraçado ao dinheiro que conquistou, mas abraçado àqueles que amou e rodeado por eles. Tu não poderás fugir do resultado final. Ele será o definitivo enfrentamento. Tu a sós. Tu e teus resultados. Tu e o que alcançaste de melhor em ti.

Minhas pobrezas ricas.

E tuas riquezas pobres.

O mais nocivo dos fracassos é o que nutrimos
conscientes e bem-intencionados.

Sobre a pobreza que não percebemos

Então tu me achas um rico pobre!

A conclusão é tua ou estás tentando me colocar como acusadora?

Estás me acusando desde que começamos esta conversa.

Os dois sorriem, cúmplices. O homem não problematiza que uma criança seja capaz daquela fecundidade. O torpor continua. Experimenta um tempo que não é tempo. Um breve esquecimento do mundo. Ainda que fale estar atrasado, necessitado de dar continuidade à ordem do dia, está rendido, já sem pressa, envolvido pela conversa terapêutica que a menina está lhe permitindo ter. Ela retoma.

Não acusei ninguém. O fato é que o teor do que conversamos ergueu naturalmente um tribunal.

Um julgamento difícil, diria.

Sim, pois tens de fazer a acusação, construir a defesa e proclamar a própria sentença. Há conversas que encaminham naturalmente ao tribunal. E então necessitas viver os múltiplos personagens do julgamento. O réu, o advogado de defesa, a testemunha, o promotor e o juiz. É na dinâmica de todos eles que tu encontras a verdade. Todos precisam ser ouvidos.

Mas não é fácil.

Ninguém prometeu que seria. O julgamento só é justo quando todos podem dizer. E ao final tu mesmo lavrarás a sentença. Em solidão. Depois que todos forem ouvidos, o ser do comando agirá com parcialidade.

E quem é o ser do comando?

Apenas uma forma de ressaltar a casa onde todas as partes do ser se hospedam. Pensa-te assim. Há um núcleo onde a hipocrisia não prevalece, um território imaculado que nenhum mau hábito pôde contaminar.

O ser a que te referes é minha consciência?

Sim. É ela quem promulga a sentença final.

Mas podes me adiantar um pouco do que ela dirá?

Da sentença? Não. Nada te será dito antes que vivas o processo de descobrir por ti mesmo.

Tuas perguntas aceleram o processo?

Faço o mesmo que faziam as parteiras. Eu só facilito o nascimento do que já existe em ti. Tens todas as respostas que precisas. Mas estão todas adormecidas.

Mas estás tão cheia de opiniões sobre meu modo de viver, pode ser que tenhas mais alguma coisa a dizer.

Queres mesmo que eu diga?

Claro que sim, já estou atrasado mesmo.

Há tantas coisas em tua conduta que precisam ser revistas.

Diga uma.

A tua servidão à brevidade, por exemplo.

Como assim?

A brevidade é uma condenação que aceitas passivamente, como se fosse uma virtude.

Já disse que sou obcecado por otimizar o tempo. É por isso que desenvolvi a habilidade de ser breve.

Mas nem tudo pode ser submetido às regras da brevidade. Há questões que pedem demora, pois não é justo que sejam colocadas no mesmo plano de tuas questões práticas de trabalho. E nesse excesso de brevidade tens desaprendido muita coisa.

O que precisamente desaprendi?

Desaprendeste a honestidade.

Dizendo assim tu me ofendes. Se tem algo de que não podes me acusar é de ser desonesto. Pago meus impostos, sou justo nas relações de trabalho, não deixo faltar nada à minha família.

Não falo de honestidade com os outros.

De qual falas?

Da honestidade que aplicas a ti. Mas é claro que ela gera consequência na honestidade com os outros. Tu bem sabes que todas as tuas atitudes pessoais repercutem nos meios em que vives.

O homem desvia-se do olhar da menina. O desvio o coloca inevitavelmente diante do espelho que tinha as mesmas dimensões da parede do quarto. Olha-se nele. A imagem que enxerga lhe parece distante como se algo de si estivesse fazendo as malas e partindo. Sente-se estranho. Vê-se como há muito não se via. Percebe no rosto um cansaço que antes não percebia. Olha para o corpo e se recorda das palavras da menina. "Um tempo que não tens num corpo que também não tens." Ela tem razão. Uma nova consciência o visita. Está pedindo do corpo muito além do que ele pode oferecer. Não é justo. É no corpo que o ser se realiza, sem distinções. Ele não é adepto de uma religiosidade que lhe ensina o desprezo pela vida. Ele nunca iria aderir à mentalidade religiosa de que a vida é um mero preparo para a eternidade. Ele sempre gostou de viver. Sabe que é no corpo e através dele que pode tocar os sabores da vida, os prazeres espirituais. Ele reconhece. Há tempos ele permitiu uma oposição íntima às satisfações do corpo. Excessos. De trabalho, palavras, demandas, deslocamentos, exigências, metas. Carências. De amor, músicas, sabores, livros, encontros, descanso, arte, amores. A menina tem razão. Há nele uma desonestidade que precisa ser reconhecida. Há muito ele mente para si, foge do conflito. E ainda com os olhos postos no espelho ele recomeça a conversa.

Por favor, podes prosseguir falando sobre a minha pretensa desonestidade?

Claro. Alimentas tua desonestidade no campo de tua adaptação. Estás conformado aos teus conflitos. Estão todos guardados no escaninho das procrastinações. Guarda-os para que não te incomodem. E sempre com a desculpa de que se resolverão em breve. Mas o dia do enfrentamento nunca chega.

Eu não percebo o tempo passar. Por isso o escaninho nunca é esvaziado.

Tens razão. És vítima como tantos outros têm sido. A percepção do tempo foi drasticamente alterada com a mudança da vida social. Neste mundo de tantas possibilidades, gravitas diariamente num acúmulo de solicitações que mecanicamente atendes. E quando percebes o dia já acabou. No outro dia tudo se repete. E assim se passam semanas, meses e dias.

Às vezes acho que o tempo tem andado mais depressa.

Não. O tempo continua seguindo o remanso que sempre seguiu.

Mas e essa sensação de que tudo aconteceu ontem?

O que muda a percepção do tempo é o excesso de atividades. É este que ceifa a sensibilidade de perceber a liturgia das horas.

Liturgia das horas. Uma expressão bonita.

Sim. As horas têm sua liturgia. Mas muito poucos a percebem.

Por quê?

Porque todos estão sempre muito atrasados. Ou então alojados em estruturas virtuais que os privam de ver o sol, a chuva, o dia e a noite.

Um outro mundo.

Um mundo que retira o ser humano de seu chão, sua origem, sua natureza. Um mundo que embrutece, dessensibiliza e desumaniza. Vê teus amigos. A maioria experimenta o mesmo mal. Estão embrutecidos. E também são desonestos quando interrogados. Não assumem que algo precisa ser alterado, que não é saudável continuar alimentando um estilo de vida que nunca contempla as necessidades da alma.

Eles não são religiosos.

Tu mesmo disseste anteriormente que espiritualidade é um pouco mais do que religião. Quando me refiro às necessidades da alma, estou convocando as realidades que sopram vida no corpo, os rituais humanos que elevam, que facilitam a transcendência e que aliviam, ainda que temporariamente, o peso da existência.

E quais são essas necessidades que achas que negligenciamos?

A alma humana clama por beleza, por verdade, por bondade. Todos os rituais que favorecem beleza, verdade e bondade carecem de calma para serem realizados.

Todos trabalhamos muito.

Eu sei.

Estamos adaptados a uma rotina de muito trabalho.

E não há nenhum erro em trabalhar muito. Sobre isso já falamos. O erro está em permitir que o trabalho os aparte da alegria, do lúdico, das situações que sopram alma no corpo. É muita ocupação para pouca satisfação.

Resta pouco tempo para o ócio, para o nada fazer.

Quando foi a última vez que tiraste férias?

Ano passado.

Podes dizer que aquele tempo representou descanso?

Creio que sim!

Preciso discordar mais uma vez.

Que novidade!

Ficaste o tempo todo ao celular fazendo ligações, respondendo mensagens, enviando e recebendo e-mails. Recorda-te do vexame à beira da piscina, quando tropeçaste na velhota que tomava sol porque estavas com os olhos presos à tela do celular? Quase mataste a velha.

Verdade. Que vergonha eu passei!

E o impressionante é que o celular continuou inteiro, embora tenha quebrado o teu dedo da mão.

Mas tenho um agravante. Não posso me desligar da empresa. Mesmo estando em férias preciso oferecer suporte aos que continuam trabalhando. Sou um líder. E, além do mais, aquela velhota estava deitada no meio do caminho.

Disseste bem. Tu perdeste a capacidade de ver o que existe pelo caminho. Aliás, nem observas o caminho. Teus olhos ficam presos ao destino final. E por isso deixas de saborear o processo das coisas. O ir é tão importante quanto o chegar. O todo merece ser saboreado. Estás sempre tenso, como se somente o resultado final merecesse tua alegria. Fazes isso contigo e com os que trabalham sob teus comandos.

Eu sou um líder. E é próprio da liderança fazer os liderados olharem para o resultado a ser alcançado. É assim que a competência de uma liderança é analisada. Pela capacidade que ela tem de motivar a equipe a alcançar as metas propostas.

Sei que aos olhos do mercado tu és um grande líder. Conseguiste excelentes resultados nas empresas em que exerceste alguma chefia. O lamentável é que não saibas oferecer liderança a ti mesmo. Ser líder de si é bem mais dispendioso do que liderar uma multidão de súditos. Se aplicasses em tua vida pessoal a mesma competência que aplicas no trabalho, certamente alcançarias metas de evolução e superação comportamental importantes para o teu amadurecimento humano.

Nem sempre conseguimos com a gente o que conseguimos com os outros.

E também erras muito com os outros.

Por que dizes isso?

Exerces uma liderança ansiosa sobre eles.

Ansiosa?

Sim. Tua forma de liderar está refletindo tuas insatisfações pessoais. E elas se manifestam no trato com eles. Eles estão sempre tensos, ansiosos. E tudo porque percebem que estás liderando a partir de uma ansiedade.

Não sei, mas acho que não faço isso.

Da mesma maneira como não prestas atenção nos caminhos, porque tua ansiedade te faz querer o lugar, fazes o mesmo na lida com as metas de trabalho. A equipe precisa apreciar o processo de feitura da meta. Há um sabor no preparo que tu precisas motivar que seja buscado por eles. A satisfação do dia a dia, a convivência durante o alinhavo das iniciativas e o espírito cooperativo. Mas não tem sido assim. Sob tua liderança ansiosa, o processo da meta não contempla alegrias. E, prevalecendo a ansiedade, o trabalho, que deveria ser fonte de satisfação, limita-se a ser mera fonte de cansaço e doenças.

Queres ser minha analista?

Não, obrigada.

Pois estou me sentindo num divã.

E está sendo bom?

Um pouco desconfortável, mas não é de todo ruim.

Há muito tempo não desfrutas férias como um menino. Percebes tua involução? Desaprendeste o ócio, o nada fazer, o arejar as ideias sem a massiva e torturante necessidade de estar conectado ao mundo do trabalho.

Já disse que preciso oferecer apoio aos que ficam em seus postos.

Tu és insubstituível?

Não, mas faço questão de exercer com competência o meu papel. Sou o presidente da empresa.

Precisas abandonar esse espírito de onipotência. Um pouco de humildade vai te fazer bem. O mundo da empresa não para de girar só porque tiraste uns dias de férias. E, se parar, precisas rever a competência que consideras ter. Os verdadeiros líderes conhecem a necessidade de manter na equipe o espírito de cooperação. Na ausência de um, outros sabem comandar.

Mas nem sempre os outros podem fazer o que fazemos.

Percebes tua desonestidade? Justificas o injustificável. É justo negligenciar tua necessidade de oferecer ao corpo um tempo em que ele não esteja subjugado a uma rotina de exigências?

Eu gosto do que faço.

Com tanta pressa fica difícil saber do que realmente se gosta, não achas? A rotina que vives é naturalmente castradora do autoconhecimento. Quase não há tempo para pensar o que não é prático. Teu tempo é consumido na administração de situações que se limitam ao "como" dos fatos, e nunca aos seus "porquês". É natural que te mostres tão indisposto para mexer no interior de teus conflitos. Tua ação, teus empenhos, teus pensamentos gravitam no superficial de uma prática profissional. Tua competência humana se limita ao âmbito das logísticas, das transferências, das negociações, das vendas, dos números e dos riscos. Tu és um homem competente, um executivo brilhante aos olhos do mercado em que estás inserido. Tens uma carreira invejável, mas és um homem manco. Falta colocar tuas competências a serviço do teu viver. Falta colocar tua atenção sobre as solicitações de tua alma. Estás reduzido a um cotidiano prático, marcado pela dureza, totalmente desprovido de leveza e de poética. E, quando tens a oportunidade de fazer o contraponto, optas por reproduzir, em teu espaço pessoal, as regras da empresa.

Como assim?

É o que falávamos antes. Tens o hábito de levar contigo os invasores que nunca permitem a elaboração de tua intimidade. Estás sempre devastado, na vitrine. E assim é impossível sentir-se íntimo dos que amas. Já observaste como ficas pouco com eles?

Isso não é verdade. Valorizo cada segundo quando estou em casa. Jantamos regularmente juntos.

A mesma cena todas as noites. Quatro pessoas à mesa. Cada uma delas com um celular conectado com uma infinidade de outras pessoas. E a isso chamas intimidade. Todas elas manuseando os aparelhos enquanto comem, fingindo que estão construindo um momento familiar, mas reproduzindo, em seus mundos particulares, as regras desagregadoras do mundo globalizado, que facilita o encontro, mas dificulta a intimidade Mais um detalhe da desonestidade que mencionei anteriormente.

Mas nós fazemos isso juntos.

Juntos? Eu diria, aglomerados. Estar sentado à mesma mesa não é garantia de que estejam juntos. É necessário que haja uma disposição interior para que o encontro aconteça. Se cada um escolhe ocupar-se das questões pessoais que o celular à mesa representa, é óbvio que o encontro não será possível.

Todos nós temos urgências. A tecnologia nos auxilia a resolvê-las. Minha esposa e meus filhos também possuem suas responsabilidades.

Sim, todos estão devidamente justificados. O processo que desagrega está perfeitamente radicado em todos. A adaptação ao modelo que aparta, mas sem esclarecer que aparta, já aconteceu com sucesso. Todas as pessoas que estão à mesa não se incomodam em dividir o momento de intimidade com muitas outras pessoas que, por sua vez, também se privam de estarem inteiras onde estão. E assim a desonestidade se desdobra. Muitas pessoas aglomeradas, mas muito poucas verdadeiramente íntimas.

Não somos menos família porque jantamos com os celulares ligados.

Depende.

Depende do quê?

Do que chamas de família. Os vínculos familiares precisam ser renovados para que prevaleçam no tempo. Caso contrário eles se limitam a ser parentescos. Só a intimidade segura no tempo a familiaridade. Ser familiar é pertencer, é identificar o visgo que os reúne. Com a rotina que vivem, tão marcada pelas poucas oportunidades de construírem uma intimidade fecunda, torna-se muito difícil não cair no limbo do parentesco.

Achas mesmo que os celulares podem nos privar de sermos íntimos?

Sim, os celulares são invasores autorizados. É por meio deles que a devastação da privacidade é reforçada. Reclamam tanto de que não há mais vida privada, mas livremente escolhem expor as situações que deveriam pertencer a uns poucos.

O avanço tecnológico tem vantagens e desvantagens.

Claro. Mas as desvantagens andam prevalecendo. E o motivo é muito simples. Os seus efeitos ainda não são amplamente conhecidos. É tudo muito recente. E há um agravante. As novas tecnologias são impulsionadas pela superficialidade, caminho mais fácil. E por isso separam mais do que reúnem. E, quando reúnem, nem sempre proporcionam fecundidade, aprofundamento. Elas promovem e motivam um viver para que os outros vejam, e nunca para uma fundamentada razão pessoal. As redes sociais criaram as vitrines onde muitos fazem questão de se mostrar felizes, realizados, ainda que as fotografias e os textos postados não correspondam à realidade triste e vazia que enfrentam.

É um modo de viver ao qual não podemos mais renunciar. Necessitamos desses facilitadores da comunicação. Minha filha, por exemplo, fez grandes amigos através das redes sociais.

Eu sei. Como tão bem disseste, há vantagens e desvantagens no fato de estarem a um toque de distância. O grande engano é pensar que a virtualidade possa substituir a realidade.

Mas é preciso muita ingenuidade para pensar que isso seja possível.

Não subestimes a capacidade que a humanidade tem para ser superficial. Nem tampouco para involuir. A virtualidade encarrega-se de alimentar os que não se percebem superficiais. Proporciona a ilusão do vínculo, da proximidade, da cumplicidade. E, como a vida nem sempre comporta a reflexão, assume-se um estilo de vida que reforça diuturnamente a infecundidade humana.

Tu não acreditas na possibilidade de que um vínculo se estabeleça, mesmo que não exista um encontro real? E como viviam os amantes que só se comunicavam por meio de cartas?

Tudo é possível. Mas o que a mim surpreende é a prevalência do virtual sobre o real, a tendência de idealizar o que vive à distância, sim, como acontecia no passado, quando cartas perpassadas por idealizações se encarregavam de cruzar distâncias e manter os amantes vinculados. Mas a inverdade ruía com a inevitável imposição da realidade. A idealização não se sustenta diante do espelho da verdade.

Mas então não estamos muito diferentes dos homens e mulheres que viveram antes de nós.

Estão, claro que estão. Houve uma profunda ruptura com o passado. A rapidez com que hoje é possível se comunicar está esvaziando o poder da palavra. Diz-se muito a toda hora. Diz-se compulsivamente. É preciso dizer para se ter a sensação de estar vivo. Publica-se tudo a todo momento. É preciso dizer, a regra é dizer, ainda que seja vazio e sem sentido o que se diz. Diz-se para ser notado, para não ser esquecido, para alimentar a ilusão de pertencer, de não estar só.

Quer nos proibir de dizer o que queremos?

Não, não é nenhum problema dizer. A questão é a pressa com que se diz. Nem sequer terminam de ouvir e já querem emitir uma opinião sobre o que foi precariamente ouvido. O silêncio está em desuso. Tornou-se proibido não opinar, não se posicionar. A palavra nasce crua, vazia, sem eficácia. Tudo porque existe um instrumento que facilmente os publicam ao mundo.

O desgaste da palavra?

Sim. E também o excesso de opinião.

E qual seria o problema? Os idiotas também podem se expressar.

Eu sei. O problema é que o barulho dos idiotas obscurece a opinião dos sábios.

Pois que gritem mais forte.

Os sábios nunca gritam. A sabedoria é voz delicada que só diz a meia-voz.

Que então não reclamem por não serem ouvidos.

Mas não são eles que perdem quando não são ouvidos. Eles já alcançaram a iluminação que lhes concede a arte do bem viver. Outra coisa. Não é próprio dos sábios reivindicarem atenção. Pouco se importam com a opinião pública. Sabem que é uma luta vã. A improbidade dos vazios tende naturalmente à espetacularização. A verdade não se adapta à cultura do espetáculo, pois é afeita aos bastidores da contemplação.

Estás insinuando que reproduzo em minha vida as regras do espetáculo?

Tens o hábito de fotografar o alimento e postá-lo para que outros vejam?

Sabes que sim. E qual é o problema?

Para muitos não é problema algum. A mim ainda soa estranho.

Por quê?

Porque as regras de higiene prescrevem que é preciso lavar as mãos antes de comer. Se pegas no celular, que é naturalmente imundo, com o propósito de fazer a fotografia, se o colocas ao lado dos alimentos, estás dizendo a todos os que contemplarão a foto que desconsideras hábitos de higiene. Isso não é devastar a intimidade? Ou não vês problema em revelar aos outros tuas imundícies?

Tu estás precisando de um psiquiatra. É provável que tenhas TOC, mania de limpeza.

E tu estás precisando de privacidade. E também de alegrias.

Achas minha vida triste?

Sim, muito triste!

Mas por que achas isso?

Porque há muito não tiras um tempo para dançar.

Eu não danço porque não gosto.

Não, tu não danças porque tens medo.

Medo de quê?

De pareceres ridículo.

É ridículo dançar?

Não, mas tu achas. Dançar requer liberdade interior, boa relação com o corpo, sopro interior que te permita flutuar, sensação que se aproxima ao voo dos pássaros.

Estás pretensiosa demais.

Por que me consideras pretensiosa?

Porque insistes em dizer o que sinto, o que penso e o que sou. Aonde pretendes chegar com esse discurso?

Ao teu coração insatisfeito.

E quem disse que tenho um coração insatisfeito?

Eu estou dizendo.

E como sabes que ele está insatisfeito?

Porque ele é meu também.

Até quando mudo o coração é soberano.

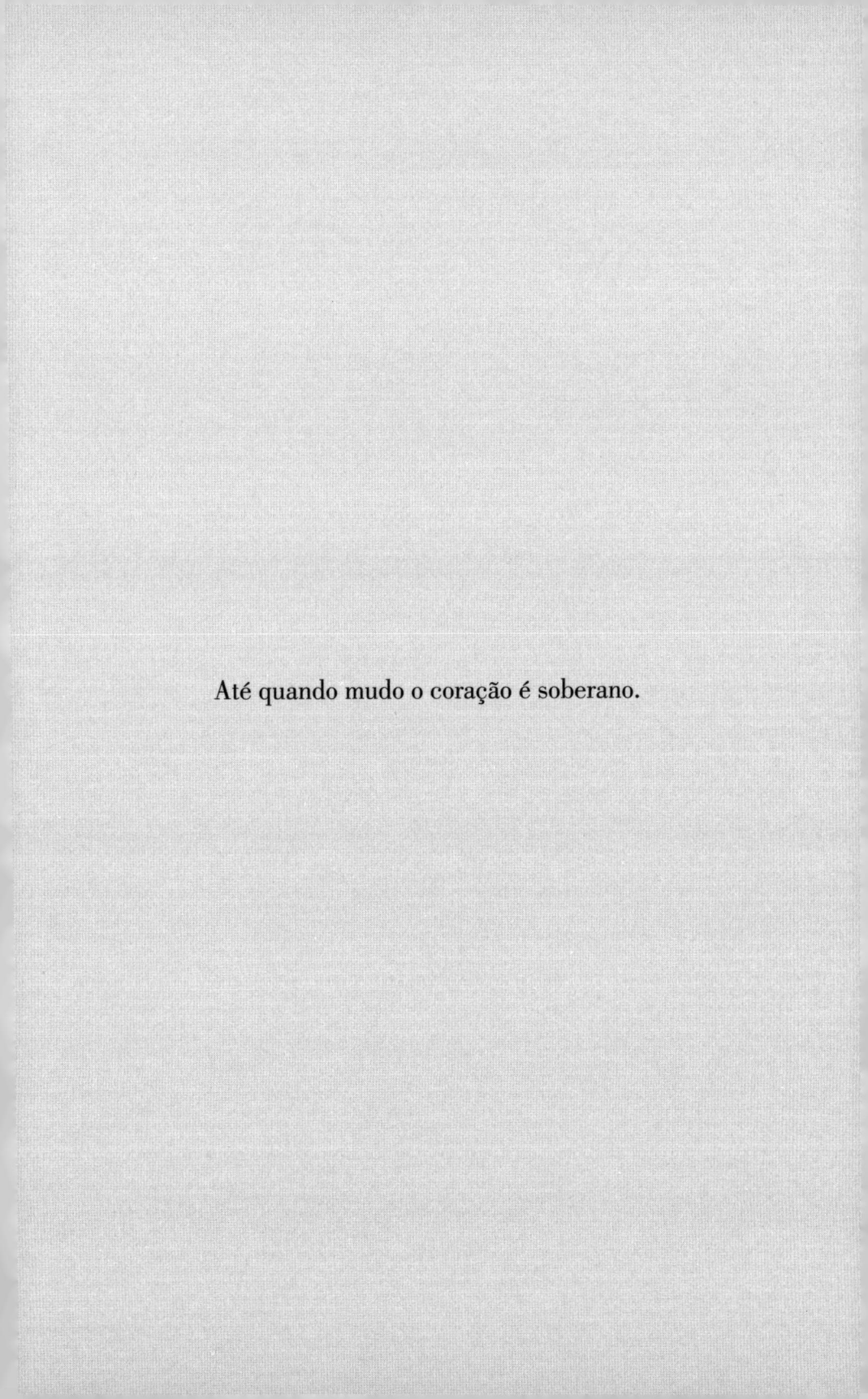

Sobre a linguagem que desaprendemos

O homem dá alguns passos na direção da pia e lava o rosto como se tivesse acabado de acordar. Um gesto muito mais simbólico do que necessário. Ele tinha tomado banho minutos antes de iniciar aquele misterioso encontro com a menina. A água sobre o rosto é fria. Um imenso prazer o visita. O que sobre a pele repousa encontra caminhos não imaginados, veios não perceptíveis, como se a pele se abrisse à possibilidade de ser outra coisa, leitos de rios a receber águas com o poder de irrigar o que antes vivia acostumado à aridez. A água reassume seu caráter simbólico, deixa de ser água sobre o rosto e torna-se a água do ventre, primeira morada. A aridez existencial só pode ser vencida mediante novos nascimentos. Em algum momento da vida ele escutou uma expressão que de vez em quando a mente recobra: "Necessário vos é nascer de novo!". É verdade. A existência é um recurso renovável. Há sempre um novo a ser extraído das velhas estruturas. "Odres novos para o vinho novo." Outra expressão antiga que também o visita regularmente. O novo só alcança os seus resultados quando a ele é oferecida uma ambiência favorável para crescer. Requer coragem dirimir estruturas antigas que já perderam a eficácia. É tão fácil acomodar-se à reificação, aos processos estagnados que deixam de incomodar. A água sobre o rosto o recorda da fluidez da vida. Tudo passa. E precisa passar. É no movimento ininterrupto que o ser humano desenvolve as diligências necessárias para enfrentar as procelas, os movimentos contrários, as tempestades da alma.

A menina o observa e, logo que o vê retornar, recomeça sua fala.

Posso te dizer a mesma coisa muitas vezes?

E por que repetir se já me disseste?

Porque a repetição é importante para que sejas conduzido ao tribunal.

Que ideia louca essa de tribunal.

Sim, eu sei. Mas ajuda muito na compreensão de como funciona a dinâmica do embate pessoal. É importante que tenhas conhecimento dos personagens que o habitam. O tribunal te permite ouvir e conhecer os argumentos das partes. Todas elas são tuas. Mas nem sempre são conscientes. O enfrentamento te possibilita identificar teus erros e acertos.

E a supostamente identificar como posso mudar.

Sim, a partir da sentença há uma mudança a ser vivida. E a primeira delas é alterar a linguagem. A primeira instância do ser é linguagem. Uma forma de dizer e interpretar-se por meio do que se diz. Somente depois se mudam os pensamentos e sentimentos. A palavra está na origem das revoluções.

Mas também na manutenção dos condicionamentos.

Estamos falando a mesma coisa. Só que você de um lado do muro e eu do outro. A palavra repetida condiciona. Mas também alforria. As prisões moram nos pensamentos. São eles que encarceram. As palavras gravitam em torno deles. A linguagem é o conjunto de todas as representações simbólicas que derramam palavras sobre o mundo. Em tudo há palavras. Ditas, escritas, sugeridas, sentidas, simbolizadas. Porque o mundo inteiro está conceituado. A tudo a inteligência humana pôs nome, pois o ser humano sofre de profunda insegurança quando não sabe dizer o que vê, o que pensa e o que sente.

É verdade. Eu me angustio profundamente quando não sei lidar com a realidade.

Sim, todos padecem da mesma ansiedade. É por isso que todo processo terapêutico não pode fugir da necessidade de dar significado ao que antes vivia silenciado no ermo do inconsciente. Compreender os motivos inconscientes de um medo, por exemplo, ajuda a minimizar a força opressiva que ele exerce sobre a mente. Dar nome aos sentimentos, revesti-los de racionalidade conceitual pode desfazer condicionamentos, mudar comportamentos que antes não aceitavam rédeas, controle.

Já fiz terapia.

Eu sei.

Não sei se me ajudou.

Não ajudou em nada.

Por que achas que não ajudou?

Porque o terapeuta só escutava o que dizias.

E não é assim que funciona?

Não. O bom terapeuta escuta sobretudo o que o paciente não diz. Nas negações estão as confissões que não tens coragem de fazer.

Mas não seria invasivo, antiético, um terapeuta arrancar de mim o que não pretendo dizer?

Mas essa é a função dele. Ajudar a dizer o que não se pretende.

Discordo.

É uma riqueza insondável conviver com pessoas que motivem os dizeres mais difíceis, que facilitem a entrada ao obscuro mundo onde o não dito repousa. Pessoas que provocam, por meio da palavra, a ebulição respeitosa que traz o ser à tona para que receba o oxigênio da reflexão.

Já vivi isso quando era mais novo com os amigos.

E é uma pena que não vivas mais.

Pouco, mas não como era antes.

Quase nunca. Trocaste tuas questões por teus objetos. Teus amigos fizeram o mesmo. Os assuntos sempre giram em torno do que compraram, pretendem comprar, quanto perderam, ganharam, futebol, negócios.

É.

E as dores, angústias, ansiedades, realidades que recebem a anestesia diária do silêncio continuam condenadas à mudez, impossibilitadas de receber acesso à palavra.

Sinto falta de um grande amigo. Morreu há seis anos. Com ele era mais fácil falar sobre minhas questões.

Era seu terapeuta.

De alguma forma, sim. Interessante. Foi depois da morte dele que procurei um terapeuta. Ainda não tinha feito essa associação.

Experimentaste a mais nefasta espécie de solidão: a de não ter com quem pensar.

Verdade.

Estar acompanhado é tão simples. Sentir-se acompanhado, não. Requer mais, bem mais. E nem sempre se educa a alma para o segundo exercício. Depois de estar é preciso sentir-se com aquele com quem se está. O vínculo só germina e alcança a profundidade que lhe permitirá sobreviver ao movimento do tempo quando o ciclo do estar e do sentir se cumpre.

Às vezes não temos coragem de dizer. Não que não tenhamos o que dizer. Pessoalmente nunca percebi espaço para quebrar a barreira. Talvez não tenhamos confiança o suficiente para expor nossas fraquezas. E então ficamos privados da amizade terapêutica. E então precisamos pagar para sermos ouvidos. Mas há outros vínculos. Os familiares, por exemplo.

A amizade é, de todos os vínculos, o mais terapêutico. É o último estágio do amor. Todos os vínculos, quando amadurecidos e encaminhados às fases normativas de seus processos, deságuam na fraternidade.

Interessante. Nunca tinha pensado sobre isso.

A vida de casal, por exemplo. Ao longo da vida o amor pode sedimentar a amizade. E então, no futuro, quando todas as satisfações do sexo não mais figurarem em suas prioridades, a fraternidade construída se encarregará de oferecer alicerce ao relacionamento. E será a amizade o motivo de continuarem juntos.

Um estágio difícil de ser alcançado.

Sim, porque o processo requer empenho. As fases do amor não se encaminham naturalmente. Não é remanso de rio que segue um curso programado, mas é embarcação que pede remos para ser movida. E sempre a muitas mãos. Quatro principais. Os dois primeiros do envolvimento. E como acréscimo todos os outros que compõem a ambiência existencial do amor vivido. Filhos, amigos e até mesmo a materialidade que passou a fazer parte daquela edificação humana.

Como assim?

A casa, por exemplo. Já percebeste quanto uma casa exerce influência sobre o amor?

Não.

Já, sim, mas estás esquecido. Se pudesses hoje retornar à casa onde foste criança um dia, entenderias bem o que digo.

Não posso mais. Foi destruída.

E, ainda que não estivesse destruída, não poderias retornar à casa de tua infância. Ela não existe mais. As pessoas que davam a configuração daquele tempo já partiram. As cenas se desfizeram. O lar se desvaneceu. Caso estivesse ainda inteira, ela se limitaria a ser o aglomerado que antes significou um lar. Mas nem tudo está perdido. Tens dela um registro emocional. E esse não recebeu o golpe da demolição nem tampouco do esquecimento. Se quiseres ainda podes adentrar os cômodos que te viram crescer. Em tua mente reconstróis o ambiente, e tua alma te recoloca nos braços do sentimento que te ocorria cada vez que adentravas aqueles espaços. Paredes, portas, telhado, cores, quintal e portão, tudo se guarda na memória afetiva. Cheiros e sabores despertam o cordão que terapeuticamente conduz ao passado, como se o senhor do tempo oferecesse a ponta de seu dedo para tocar e acordar lembranças antigas.

Verdade. Só de te ouvir dizer pude sentir o cheiro da casa onde nasci e vivi até os 15 anos. Foi um tempo bom. Muita dificuldade financeira, mas a satisfação de viver prevalecia. Éramos confortáveis em nós.

Estar em casa era o mesmo que estar em ti?

Sempre.

A felicidade é a fração de tempo que permite ao ser humano a satisfação de sentir-se confortável em si mesmo.

Uma bela definição.

Quem vive bem em si não se distancia dos imperativos do coração, pois é pela via do bem viver que o mistério se renova. Viver bem sempre atrai um novo desejo de viver bem. Quanto mais alcança, muito mais ele quer. É uma fonte inesgotável, educação de um desejo que passa a se opor a tudo o que despersonalize, aliene, provoque desvios desnecessários. E o coração é a instância última por onde se pode chegar ao melhor de si.

Eu me empenho para isso.

Não acho que seja verdadeira essa afirmação. A velha questão do tempo. A pressa é obstáculo para perceber a voz do coração. O que te atordoa é justamente o tempo que não tens, o tratamento cruel que impões à tua alma, apartando-a das urgências e necessidades que foram silenciadas e que nunca entram em tua agenda.

Eu me atenho às prioridades.

Não acho sábio de tua parte priorizar futilidades em detrimento de tuas reais necessidades.

Por que insistes em considerar fúteis as minhas questões?

Nem todas, mas há muitas que são.

Não foste tu que disseste que sou o personagem único no tal julgamento? O que te autoriza a arbitrar sobre minhas questões, como se fosses a juíza constituída para definir e julgar os meus erros e acertos?

O fato de viver íntima a ti.

Sim, já disseste que somos íntimos, mas ainda me soa estranho que saibas quem sou sem que eu saiba quem tu és.

Sim, mas só eu te percebo. Repito. Há muito perdeste a capacidade de perceber a vida que orbita além das páginas de tua agenda. Tua pressa te cega. E permaneço no lugar de sempre, esperando pela oportunidade de dar ao teu corpo o comando que preciso para fazer o que posso.

E o que podes?

Colocar-te no eixo de tua verdade.

Por quê? Se dizes que estás em mim, e que estou perdido do eixo de minha verdade, é natural que estejas também.

Não, eu não estou. Sou de natureza inalienável. Não posso ser mudada, pois sou o teu ser em estado de semente, o lugar onde todas as possibilidades e limites estão condensados. Sou a guardiã de tua verdade, a parte que nunca esquece o que já esqueceste, a sentinela que protege a tua essência. Sei exatamente quem tu foste, quem tu és e quem podes te tornar.

Mas se tudo já está em mim é natural que eu me torne naturalmente.

Não é assim que funciona. Muitos morrem sem que se tornem quem poderiam ser. Sim, a existência humana é constante processo de "vir-a-ser" mas requer leme para que o processo não seja alterado no caminho. Remar para uma direção contrária pode comprometer radicalmente o destino da semente. É como plantar uma árvore num solo distante do que pede sua natureza. A inteligência vegetal carece de ser respeitada. Não se planta uma árvore tropical no hemisfério Norte. É certo que ela não se desenvolverá como poderia.

E tu resguardas minha essência.

Eu sou a memória que te recorda o solo de que precisamos.

Estou no solo errado?

O solo é a base da vida, os comandos que dás para que teu estar no mundo seja satisfatório. Se considerares que tens errado em tuas escolhas, tornando tua rotina um fardo muito além do suportado, adoecendo, assim, corpo e mente, sim, estás no solo errado.

E como faço para retornar ao solo de minha verdade?

Terás de reaprender a ouvir a voz do coração. Ela será a pedagoga que fará a recondução. O que não é nada fácil, afinal, tens os pés fincados numa sociedade cada vez mais embrutecida. A voz do coração requer sensibilidade para ser decifrada. Há um embrutecimento acontecendo silenciosamente.

E como o percebes?

Observando a supressão da tolerância, da solidariedade, do humor enquanto ânimo que põe obstáculos à proliferação da ira, do estado de espírito que derrama leveza sobre os temas ardilosos, mesmo quando discutidos acirradamente. O humor está cada vez mais ausente nas relações humanas. E esse é um grande indicativo de embrutecimento. As pessoas estão sempre armadas, prontas para o ataque, indispostas para os que vivem e pensam diferente delas.

Sim.

O humor é o descanso que torna a vida suportável.

É verdade.

Facilmente as pessoas se organizam em grupos, seitas, bandos. Procuram desesperadamente encontrar outras que reforcem a sensação de pertencimento, a ilusão de que estão protegidas dos que ameaçam suas ideias, seu estilo de vida. E entre elas há uma diária absolvição coletiva. Uma cumplicidade que concede perdão aos seus ódios, aos seus discursos agressivos, às suas intolerâncias. Esse embrutecimento encontra raízes numa mentalidade que arranca o ser humano de sua dimensão mística. Limitado à condição de matéria, fica privado de refletir e ser refletido para além do fenômeno de seus atos. A humanidade está carente de metáforas, linguagem que extrapole a racionalidade, que toque a alma humana com delicadeza, que eduque a imaginação e o desejo.

Mas como compreender a função da linguagem do coração?

É simples. Ela conduz o ser humano ao centro de si. Ela desperta o olhar que olha para dentro, ao contexto da vida que a razão não pode estrangular, aos sentimentos e intuições que precisam do mesmo respeito que um raciocínio lógico.

Mas tu não achas que o ser humano tem mais tendência às decisões apaixonadas do que às que passaram pelo crivo da razão?

Mas decisões apaixonadas não são necessariamente decisões sentidas, tomadas a partir dos conselhos do sentimento.

Mas qual é a diferença?

A paixão é a supressão temporária da razão. E fora da razão a pessoa perde a capacidade de perceber o todo que a envolve. Um ser apaixonado está fora do controle dos sentimentos. Sentir é perceber através dos sentidos, mas também da razão. É colocar o todo que se é a serviço da realidade que o envolve.

Interessante. Sempre compreendi a paixão como um sentimento.

A paixão é um entorpecimento. Já o sentimento é um conhecimento intuitivo que avança naturalmente sobre o que te chega através do raciocínio. É como se fosse um olhar especialmente capacitado para alcançar o longe, o distante que ainda não te pertence, mas que o coração já reconhece como teu. O sentimento só pode ser comunicado pela linguagem do coração.

A minha vida inteira escutei minha mãe dizer que era preciso aprender a ouvir a voz do coração. Quando criança eu até apreciava a expressão, achava bonita, mas depois começou a me soar piegas, sem fundamento.

É natural que tenhas perdido a capacidade de compreender. O teu mundo se tornou muito técnico, objetivo. Desde que iniciaste teu investimento pessoal nesse mundo corporativo em que estás inserido, deixaste de dar atenção ao que te pediam os sentimentos. E não ficaste ileso ao processo de brutalização social. Também trazes em ti as consequências devastadoras de não ter aprendido a seguir os caminhos do conhecimento intuitivo.

A voz do coração.

Sim. A voz do coração não se ouve facilmente. Ela é delicada demais para se sobrepor às tormentas dos dias. Requer disciplina ter acesso a ela, ou melhor, requer um aprendizado.

Antes da disciplina o aprendizado.

Sim, aprender a ouvi-la. Trata-se de um idioma que precisa ser aprendido. E depois é preciso educar a sensibilidade para que esteja sempre atenta ao que diz a voz íntima que te coloca diante de ti mesmo.

Às vezes me parece que estás falando de religião.

Não, estou falando de espiritualidade. A religião é uma forma de organizar pessoas que pretendem conquistar a espiritualidade. Ela oferece ritos, filosofia, dogmas, livros. A religião propõe um modo de crer. A espiritualidade propõe um modo de ser. A primeira é a antessala, a segunda é a sala principal. Pratica-se a religiosidade como um caminho para se chegar à espiritualidade. Mas nem sempre é garantia de êxito. Há religiosos que não são espiritualizados e há espiritualizados que não são religiosos.

Interessante a distinção.

É por isso que a espiritualidade também é um direito dos ateus.

Faz sentido.

Ninguém sobrevive às demandas da existência se não estiver espiritualizado. A espiritualidade é o sopro que oxigena o sentido da vida. Sopra no humano beleza, bondade e verdade. Tudo o que é belo, bom e verdadeiro naturalmente sopra sentido na existência humana. É assim que se pode alcançar a satisfação de ser quem se é, de fazer o que se faz, de conquistar o que se conquista. É a voz do coração que indica os caminhos do belo, do bom e do verdadeiro. Por isso é tão necessário aprender a ouvi-la. Sem ela o ser humano se limita à escravidão de uma vida prática.

Como a de que me acusas.

Não, como a que sabes em que estás. É diferente. Já ergueste o tribunal e conheces parte da sentença. É da natureza da reflexão arrancar as pedras dos sepulcros que te sepultavam sem que soubesses.

Uma consciência nova que se alcança?

Sim, como uma luz que é acesa num calabouço.

É verdade.

Gostaria de continuar depois. Preciso mesmo ir.

Acho que não deverias ir.

Por quê?

Porque a ambiência foi criada.

Como assim?

Estás envolvido.

Posso me envolver novamente depois.

É preciso aproveitar os resultados do enfrentamento que estabeleceu o tribunal.

Gostaria, mas não posso adiar minha reunião. Conversamos depois.

O depois não será mais o mesmo. Os teus desconfortos finalmente foram polvilhados com luz. É preciso aproveitar essa oportunidade. Colocando tua atenção nas imposições que te embrutecem é provável que aprendas a dar os primeiros passos na direção de tua voz interior.

Ela me falará mais do que tu falas?

Ela falará o mesmo que eu.

Então não preciso dela.

Claro que precisas. Assim que a encontrares, perderás a necessidade de me ouvir como agora o fazes, pois ela estará em ti, à tua disposição. Tendo-a em ti poderás acessá-la por onde fores, inclusive na reunião que tens daqui a pouco.

Tu és uma mestra que ensina o caminho da voz?

Não, eu sou a própria voz.

Mas então não preciso procurar por ela.

Claro que tens de procurar. O que agora te digo estando de fora preciso dizer estando de dentro.

Confuso demais. De onde vieste?

De ti.

E por que estás de fora?

Porque me expulsaste aos poucos.

Às vezes é preciso retornar à condição de cinzas
para reencontrar a alegria de ser chama.

Sobre renascer depois de crescido

Uma névoa de desconfiança. Mas sem incômodo. Um não saber que não perturba a razão. A menina que o aborda se diz expulsa de um lugar que a ele pertence. Ele a observa e intui que ela não mente. Mas também não sabe precisar o que tudo aquilo significa. No rosto da menina reconhece algo que lhe é muito familiar, como se tratasse de alguém com quem tivesse convivido em tempos idos, mas que por ora a memória não decifra.

Quem te expulsou de mim?
Não estou expulsa.
Acabaste de dizer que foste expulsa.
Levas tudo ao pé da letra.
E há outra maneira de entender o que o outro diz?
Sim. Escute também a sugestão da linguagem.
O que é sugestão da linguagem?
Aquilo que se sobrepõe ao significado da palavra dita, como se fosse uma névoa que sobre ela derramasse um horizonte imaginário, sugestivo, capaz de dizer o que a razão não está apta a expressar. Ao dizer que fui expulsa, sugiro que deixei de ser percebida.
Mas agora posso te ver e ouvir.

Sim, o que agora acontece é resultado da saturação.

Que saturação?

A que sofres interiormente. A mente já não suporta o acúmulo sobre ela imposto, e um recurso inimaginável fica à tua disposição.

O de te ver e ouvir?

Sim.

Não entendi, mas tudo bem.

Quanto custa o teu tempo?

Meu tempo é precioso, já disse.

Sim, mas não achas que ele anda valendo cada vez menos?

Pelo contrário. Quanto mais eu me qualifico, muito mais ele ganha valor.

O tempo só é precioso na medida em que ele te pertence e favorece perceber o solo em que estás semeado.

Mas sou dono do meu tempo.

Não é mesmo.

Por que não?

Dar-te-ei um exemplo simples.

Qual?

Tua mãe morreu.

Sim, no ano passado.

Quanto tempo te deste para viver e organizar o luto?

Não sei dizer.

Quanto tempo reservaste para experimentar e sofrer a perda?

Precisei trabalhar logo após o sepultamento.

Achas isso natural? Perdes tua mãe e precisas trabalhar imediatamente?

Eu tinha assuntos que não podiam esperar. Sou um homem responsável e não posso permitir que meus problemas pessoais afetem a vida da empresa que presido.

Mas então podes admitir que não és o gestor do teu tempo.

Claro que sou. O fato de escolher dar continuidade ao trabalho não significa que eu não seja o senhor do meu tempo. Pelo contrário, eu escolhi o tempo certo de voltar ao trabalho. O que aconteceu é que considerei a importância das demandas que esperavam por mim e compreendi que não poderia me dar ao luxo de esperar. Eu não tinha o direito de colocar meu sofrimento à frente delas.

Perfeitamente justificado. É sempre assim. O discurso está sempre pronto, ainda que ele não faça sentido. Resposta programada, alinhavada com a conduta que não pretendes mudar.

Terei de dizer o que queres ouvir?

Não, claro que não. Estou apenas salientando o teu mecanismo de defesa. É através dele que tanto mentes para ti.

Não estou mentindo para mim. Por que precisaria mentir?

Sempre que o tribunal se estabelece tens dificuldade de ouvir a promotoria. Já trazes imediatamente a testemunha de defesa supostamente qualificada. É com os argumentos dela que tentas te proteger da verdade. E assim tens a ilusão de ter convencido o juiz de tua inocência. É um processo vicioso.

A morte da minha mãe foi o momento mais difícil da minha vida. Um rompimento muito doloroso. E não me senti sozinho. Recebi o apoio de toda a equipe que trabalha comigo.

Sim, mas no dia seguinte todos os que enviaram condolências já achavam que terias que retornar ao teu posto de trabalho. Uma solidariedade breve, como convém aos dias de hoje. Enviar uma mensagem de condolências é apenas um pequeno detalhe da solidariedade. Mas é na compreensão do tempo necessitado que se identifica a verdadeira solidariedade. A pressa dos outros em te quererem pronto foi desumana.

Estamos sob a regra de que a vida continua.

Sim, nisso também há uma ditadura. Tolera-se pouco o sofrimento. Pessoais e dos outros. Desaprendem-se os ritos do luto, do recolhimento, do silêncio que permite viver o que precisa ser vivido. *A vida continua* é uma fachada que se usa para se proteger dos desconfortos da dor. Com ela, fica-se desobrigado de ser temporariamente desagradável aos olhos dos outros.

Não acho que seja isso. Não podemos parar a vida só porque uma pessoa morreu.

Não estou falando em parar a vida. Seria uma imaturidade pensar assim. Estou falando da necessidade de dar-te o direito de não ser tão breve em tudo. E não estamos falando de qualquer pessoa. Tua mãe estava morta. Tinhas com ela uma relação estreita, profunda, que merecia ser respeitada. Se a mãe está morta, deveria ser natural ao filho o direito de recolher-se para viver os ritos da perda. E não poderia ser natural dois ou três dias depois as pessoas exigirem dele um retorno à rotina da vida, massacrado pela desumana justificativa de que ela continua. Consegues perceber a crueldade que praticaste contigo? Perdeste a tua mãe e não tiveste o direito de cuidar da ferida emocional. Consideraste as imposições dos outros mais importantes que os teus sentimentos. Aceitaste a invasão dos que te enxergam e o interpretam como um mecanismo. E o pior, percebes que eles só te enxergam assim porque foste tu mesmo que os educaste para que te olhassem assim? Eles te deram o veneno que autorizaste. Eles apenas corresponderam às regras que os ensinaste com tua liderança tão equivocada. Os outros costumam devolver o que recebem. Processos inconscientes ou não. O fato é que as relações humanas são devoluções constantes. Já ouviste falar das relações objetais?

O homem não responde. Parece acomodar em si os desajustes que o retorno à morte de sua mãe está provocando. É certo que desconstruía palavra por palavra, permitindo que a mentira que até então se afirmava caísse por terra.

Sim, e sei que a teoria não se aplica ao que sei de mim. Fui muito respeitado dentro da empresa. Recebi condolências de todos. Meu celular ficou repleto de mensagens manifestando solidariedade. E talvez estejas esquecida de que há urgências que não podem esperar por nós.

Mas nem tudo é urgente daquilo que consideras urgente. Muitas urgências resultam dos equívocos. Podem perfeitamente esperar, mas são consideradas erroneamente como urgências. Vejo como te dobras às urgências dos outros. É uma imposição injusta. Estás cada vez mais inapto para saber identificar quando a urgência é uma demanda que te vem de fora. Não é um clamor da alma que te leva a sair em busca de tuas urgências, mas sim um grito aparentemente preocupado contigo, um embuste perturbador que te aparta do pedido íntimo que te faz o coração.

Muito romântico esse discurso. Pouco se aplica à realidade.

Eu sei. Também é próprio destes dias o aniquilamento das questões românticas. O que prevalece é o contexto das relações pragmáticas, marcadas por interesses, pouco gratuitas, objetais. São relações levemente tocadas por um sentimentalismo raso que até parece amor, respeito, solidariedade, mas no fundo são desdobramentos de um egoísmo impensado, irrefletido. Como o que teus colegas de trabalho te ofereceram.

Eu já disse que eles respeitaram a minha dor.

Exigindo, pelos recursos da exigência velada, que reassumisses o trabalho um dia depois de sepultar a tua mãe?

O homem sai do seu lugar e caminha na direção da menina. No olhar há uma fúria que desaprendeu de ficar muda. E então o grito acontece.

Eu não podia parar a minha vida só porque a minha mãe estava morta!

O grito ecoa pelo quarto. Ele repete a frase várias vezes. Leva as mãos à cabeça, passa pelo rosto, esbraveja muitas vezes a mesma frase. A ira repentina fez ruir a serenidade que ele começara a desfrutar ao longo da conversa. Os olhos da menina continuam nele. Sem medo, como se soubesse que por trás daquele grito de contestação havia uma porta aberta para a verdade. Sim, há iras que despertam enfrentamentos necessários, como se o corpo perdesse o controle dos disfarces e de repente concedesse o direito de fala àquele que há muito precisava encontrar a via da palavra: o coração. O coração é uma metáfora. Ele é o cerne da mente, o território onde a consciência se hospeda. Quando trancafiado, desconsiderado, nunca ouvido, a mente exerce opressão sobre todo o corpo. A ira e o grito funcionam como porta para uma catarse que precisa ser feita. O homem experimenta, como há muito não o faz, uma ira consciente, um lampejo de lucidez que lhe permite reconhecer a covardia que aplicou a si mesmo ao não se permitir chorar a morte de sua mãe.

Depois de um breve tempo de silêncio a menina retoma a palavra.

Que bom que conseguiste gritar. Esse grito estava guardado há muito tempo.
Mas não gritei o que gostaria de ter gritado.
Mas eu ouvi o grito que não conseguiste gritar.
E o que gostaria de ter gritado?
"A minha mãe está morta e eu gostaria de parar a minha vida nessa hora!"
Sim, esse foi o grito que eu dei.

A voz do homem está embargada. Não há lágrimas no rosto. Mas há lágrimas na voz. Uma tristeza nascida das profundezas alcança as cordas vocais. Aos poucos ela vai ganhando novos territórios, como se fosse um exército conhecedor da fragilidade do inimigo. A tristeza precisa ser chorada pelos olhos para que desfrute de repouso, para que não adoeça o corpo. E então as lágrimas brotam. Compulsivas. A voz acompanha. Chora também. O corpo obedece ao novo comando. O homem que até então estava pronto para sair e enfrentar um dia de trabalho deixa de estar. Uma desconstrução. O primeiro movimento é desajustar o nó da gravata, o ponto nevrálgico daquela simbologia que o oprime. Desata o nó. O choro assume a totalidade de sua materialidade. A alma desgovernada prevalece. Nada a impede de dizer. A memória da mãe morta o reconduziu ao ventre. E de lá o expulsou novamente. Um choro semelhante ao do nascimento. Um novo e desconfortável sentimento de orfandade, medo, pavor de saber-se apartado de um paraíso perdido: sua verdade. O choro compulsivo lhe retira as forças do corpo. Ele cede, senta no carpete do quarto e se aninha em posição de ventre. E por ali ele permanece. As lágrimas lavam corpo e alma. Nada nele resiste. Tudo chora, tudo sofre, tudo lamenta. Quando a compulsão cede lugar a um choro brando, a menina recomeça.

Não sabemos exatamente quantos morrem naquele que morre. Por isso é tão difícil entender a ausência do outro. Está sempre envolta em mistério, porque toca o que a razão não abarca nem mensura. O vazio materno é incomensurável. Os veios da ausência aram o profundo da identidade filiada. E, então, perdem-se o prumo, o rumo, o primeiro sentimento de pertença. Vaga-se na alma o espaço reservado ao primeiro amor. Mas a memória não revoga o que existiu, permanecerá sob a forma de saudade torturante, caráter registrado sobre a delicada carne das reminiscências, testemunho eterno de que aqueles dois um dia foram um.

Estou cansado.

Dorme agora.

E tão logo a voz encerrou o conselho, o homem mergulhou num sono profundo. Tudo nele parecia acolhido por um ventre de mulher. Cumpre-se o destino da frase conhecida: "Necessário vos é nascer de novo". Nascer é ser expulso. O ventre, que até então acolhia e se dispunha a ser lugar de preparo, de repente, em movimentos de contrações, se põe a expulsar o hóspede. O lugar do amor é regido por uma inteligência que é puro mistério. Reter o que precisa nascer seria condená-lo à morte. O ventre expulsa porque protege. Expõe ao relento e delega o ser nascido aos estatutos do cuidado. A indigência carecerá de observância amorosa. O ser expulso nunca terminará de nascer. Viverá os retornos da rotina existencial, do movimento que o recolocará sob outras contrações, e por muitos será partejado. Amadurecerá sofrendo com os estatutos de sua condição. Ninguém escapa ao que lhe é determinante. É processual crescer, avançar, desbravar os roteiros de si. As regras do tempo são entendedoras da vida. Sabem reger o ciclo de cada ser. O homem dorme sob o movimento de nova contração. A menina o parteja. Foi preciso recolocá-lo no ventre morto da mãe. Foi no desconforto daquela memória não curada que ele voltou a chorar o choro dos recém-nascidos.

O medo é a supressão de si.

Sobre os medos que sentimos

O homem desperta. Recobra a consciência. Levanta a cabeça e percebe que a menina continua no mesmo lugar a lhe dedicar o olhar. A lucidez lhe permite pensar no significado daquela experiência e a compreende. Um esclarecimento íntimo, como se a voz infantil lhe abrisse os cômodos sombrios de sua vida interior, permitindo-lhe reconhecer e dar nome àquele rosto intruso. A menina era sua consciência, o lugar sagrado de sua verdade. E, por ser sua consciência, a menina era ele. Dois corpos aparentemente separados, distintos, mas unidos pelo mistério que os unifica. O homem se surpreende. Ele está conversando consigo como nunca o fez, como se fosse dois corpos. Um deles em outra estação, mas de uma mesma vida. A menina é o seu eu sem máculas, livre, imune aos malefícios restados das experiências do homem que há pouco tempo tinha no pescoço um nó de gravata bem-feito. A menina não está intoxicada pela pressa e por isso tem condições de acessar o essencial. O que o homem já esqueceu, a menina ainda sabe. E está ali para lhe recordar o esquecido. E fala de maneira complexa porque é o estado último de sua evolução. Nela estão condensadas todas as suas possibilidades como homem. A menina é sábia, astuta, corajosa. É tudo o que o homem ainda pode ser, porque é sua semente, mas ainda não o é porque está remando o barco da vida para um oposto que não é si mesmo. O homem precisa ser comandado por ela. Mas terá de aprender.

Tu já te consideras sabiamente seletivo?

Em relação a quê?

Às escolhas que fazes, por exemplo.

Se considerarmos as conclusões a que já chegamos aqui, não. Não tenho sido sabiamente seletivo.

Pois deverias ser.

Sim, sobretudo porque não tenho todo o tempo do mundo.

Sim, muito assertivo de tua parte. Pois se considerares que tens mais passado do que terás de futuro, certamente ficarias mais atento ao que escolhes viver.

Muito pouco tenho pensado sobre isso.

Eu sei. Mas deverias.

Não achas que a obsessão pelo tempo é nociva?

Acho. Sobretudo quando a obsessão por ele te coloca numa ansiedade que obstrui a percepção de que ele está escapando pelos dedos.

Mas é inevitável que ele me escape pelos dedos. Não sou eterno. Estou sob a mira do tempo. Sofro suas consequências.

Não estou negando isso. Eu me refiro à percepção que pode te conduzir saudavelmente às decisões lúcidas.

Eu me esforço por não me afastar da lucidez.

Não é verdade. És excessivamente reativo e muito pouco reflexivo.

Achas?

Não, eu tenho certeza!

Verdade. Esqueci que sabes mais de mim do que eu mesmo.

Não sejas irônico.

Não estou sendo.

Estás. Esqueceu que sei mais de ti do que ti mesmo?

O homem sorri. Desarmado. A menina o encanta. A voz mansa, conselheira, íntima, permite-o sentir-se amado, ainda que a conversa continue lhe soando desconfortável. Mas o que ele experimenta do desconforto já não é o suficiente para fazê-lo deixar aquele lugar e partir na direção de seus compromissos. Abriu-se nele um espaço fecundo, como se uma força gravitacional o colocasse no horizonte de um enfrentamento, impedindo a fuga a que estava tão acostumado. Tudo o que havia sido conversado até aquele momento fazia sentido. As palavras abraçaram a vida vivida, a rotina, os anos que o trouxeram até aquele momento. O homem está diante de si. A menina que fala é o secreto de seu coração. Ele está em si. Expressão estranha. Estar em si. Nada a perturbar ou a expulsar o ser do corpo que o hospeda. O homem experimenta o ser que é no corpo que o leva. Mas essa distinção é meramente didática. Ele é o corpo, ele é o ser. Sem divisões, alienações. Ele se percebe. Nota o cansaço, o desejo de cancelar aquela agenda, de retirar o terno que usa, a gravata, e de desamarrar os nós dos sapatos. E com eles desamarrar também, como consequência do gesto que repercute, os nós que o prendem ao escravo que anda lhe ditando as regras da vida. Ele olha para a menina. Nela ele se vê. Sente desejo de se aproximar, mas não o faz. Sabe que aquela presença não pode ser tocada. Seu desejo é trazê-la ao colo, beijar-lhe a face, afagar-lhe os cabelos. Um amor repentino que lhe permite reconhecer o bem que ela está lhe fazendo. Mas ele não se aproxima. Teme que o encanto se desfaça, que a menina vire névoa e que a voz que lhe acorda o corpo deixe de dizer. E então ele recomeça.

 Eu tenho sido escravo.
 Eu sei.
 As algemas são colocadas sem que percebamos.
 Os que algemam sorriem enquanto o fazem.
 E nos prometem grandes recompensas.
 Sim, eles são especialistas em provocar reações.
 Ardilosos.
 Muito ardilosos.
 São vítimas do mesmo mal. E sabem que o são.
 Nem sempre. Às vezes seguem o impulso inconsciente que os aprisiona. Fazem o mal sem que percebam. Mas às vezes é um jeito cruel de derramar sobre os outros o mesmo veneno que estão sorvendo.
 É verdade.
 O medo de estarem morrendo sozinhos faz com que queiram matar outros. Mas prometem grandes conquistas.
 Eu me rendi a isso.
 Mas não precisas levar o projeto até o fim.
 Talvez eu já não consiga ser diferente.
 Sim, é possível. Quando o condicionamento está cristalizado, quando as raízes já aprofundaram demais, é possível que a árvore morra ao ser transferida de solo.

Não sei se posso abrir mão de tudo que o meu estilo de vida me proporciona.

É preciso fazer as contas.

É matemático?

Também. É preciso saber se ainda terás tempo de gastar tudo o que já ganhou, vivendo como vives.

E ainda sobrar para os filhos.

Ainda que não sobrasse. Não é justo sacrificar a vida que deverias viver ao lado deles. Tu te equivocas muito quando pensas que os teus filhos comungam das tuas ambições. A pergunta nunca foi feita.

Qual pergunta?

Se teus filhos e esposa trocariam ganhos materiais por outros ganhos. Pela tua presença, por exemplo.

Tenho medo de perguntar.

Não tenhas.

Pode ser que eu venha a ouvir o que não queira.

Acho pouco provável. Tua esposa e teus filhos sentem tua falta. Mesmo quando estás com eles. Já sabes. Nunca estás inteiro, sempre dividido, cuidando de outras questões.

É impossível fazer diferente.

Experimente. Impondo limites, favorecendo alguns encontros com eles. Não prejudicarás tua vida profissional. Pelo contrário. A moderação certamente te trará um benefício emocional que repercutirá naturalmente em teu desempenho na empresa.

Os outros se impõem sobre nós.

E sempre com a anuência de quem recebe a imposição.

Sim, já reconheci isso.

Reaprenda a ouvir o coração. Ele é especialista em colocar o ser humano no caminho do meio.

E qual é o caminho do meio?

O caminho do meio é a terceira via. A que dificulta a prevalência dos excessos, porque tem o bom senso como referência. Desse caminho a ponderação nunca se ausenta. É por meio dela que identificarás se estás se empenhando na manutenção do equilíbrio. Os excessos só acontecem quando se deixam de equilibrar as escolhas. Nem tanto o céu, nem tanto a terra, como dizia tua mãe.

Preciso reaprender. Já fui tão bom em ouvir a minha intuição. A ponderação que aplico à minha carreira precisa se desdobrar em minha vida pessoal.

A voz do coração reverbera a voz da intuição, a voz da tua verdade. Somente ela pode te libertar dos cativeiros a que os outros te subjugam.

Ou que eu mesmo construo.

Sim.

Mas não é simples.

É um aprendizado místico, trabalhoso, sagrado.

Tens razão. Sofre-se muito com as imposições dos outros.

Sim, é uma morte lenta que não percebes.

Não chega a ser morte, chega?

Chega, pois interfere diretamente no cerne da vida emocional. E depois transborda, vai para o físico. Viver sob as imposições alheias é como receber diariamente uma pequena dose de veneno no organismo. A intoxicação é lenta, mas constante.

Não acho que seja possível viver fora das imposições dos outros.

Também acho que não. De um jeito ou de outro, todos estão sob a dinâmica de pequenas ou grandes imposições. A questão é quanto das imposições a pessoa sorverá. O empenho deve estar em não permitir que elas prevaleçam sobre a liberdade interior. O exercício da maturidade humana consiste diariamente em driblar, identificar e contornar os contextos opressores. Ninguém vive dentro de um conto de fadas. As pessoas são imperfeitas, os amores e os vínculos são imperfeitos. O que não é justo é permitir que as demandas dos outros prevaleçam constantemente sobre o que solicita o coração. Ceder faz parte. É claro que nem sempre é possível viver exatamente como se pretende. Por amor, por solidariedade, é natural fazer renúncias, sacrifícios. O que não faz sentido é ceder sempre, violar rotineiramente o secreto do desejo, não obedecer ao que pede o mais íntimo de ti. Como fizeste nos dias do teu luto agudo. As imposições dos outros prevaleceram sobre a tua necessidade de recolhimento.

Tens razão. Uns dias a mais teriam me ajudado a sepultar melhor a minha mãe.

Mas tu te rendeste ao que os outros esperavam de ti.

Sim. Trabalhei mesmo sem condições.

Simulou coragem.

Sim.

Nada mais cruel do que fingir coragem.

O medo da fraqueza nos faz querer os esconderijos da pretensa coragem. E então inventamos sorriso, disposição, mesmo quando tudo em nós pede silêncio e recolhimento.

Mas o esconderijo não dura muito tempo. Mais cedo ou mais tarde a vida chegará com a cobrança nas mãos. E então precisarás fazer o difícil acerto de contas. A dor não prescreve. Em algum lugar ela se ajeita, mas depois retorna. Por não ter podido encontrar o caminho da manifestação, transmuda-se em outros formatos, explode. A dor emocional não se dilui. Ela precisa ser purgada. As terapias são tentativas de colocar o passado no crivo da catarse. Por meio da conversa, acessa-se o desconforto adormecido, mas atuante. Sim, porque o inconsciente é desconhecido, mas ele atua silenciosamente. A terapia o acessa. A palavra puxa o cordão, o inconsciente libera a informação, e o mal-estar retorna, ainda que com outro nome, outra cor, outro formato, outra expressão. Fazer terapeuticamente o processo é muito menos doloroso do que passar a vida inteira sob os efeitos de sua opressão. Descobrir a dor, permitir que o sol quare suas nódoas será sempre a decisão mais acertada e justa. Curar-se é partejar o que existe sufocado em si e permitir que o oxigênio do entendimento lhe retire o caráter opressor.

O outro funciona como um facilitador do parto.

Sim, o terapeuta não põe a dor à disposição do que necessita fazê-la vir à tona. Ele apenas conduz o processo, mas o parto a ser vivido pertence ao ser que precisa ser curado. Quando o parto não acontece, o inconsciente vai se manifestar como puder. Mas é certo que se manifestará. Há pessoas que são agressivas porque carregam excessos de dor. Passados não decorridos, lutos não resolvidos, perdas não reconciliadas, infâncias feridas, inferioridades nunca saradas.

Verdade. Eu me recordo que fiquei muito agressivo nos meses que se seguiram ao acontecimento. E eu percebia que o comportamento estava ligado à morte de minha mãe.

Mas a agressividade com os outros era apenas uma ponta da agressividade que praticavas contigo. Um guerreiro lutando contra o próprio exército, como se um movimento de autossabotagem ditasse as regras do estranho jogo que passaste a jogar. A dor sob custódia, a mágoa sob segredo, o medo sob disfarce. E no rosto uma coragem inventada, uma disposição que custava caro às engrenagens de tua emoção.

O medo não é permitido no meio coorporativo em que vivo.

Não só o medo, mas nenhum tipo de fraqueza.

Sim, nenhuma fraqueza.

Mas esse não é um privilégio do mundo coorporativo. Muitas pessoas estão privadas de se mostrarem fracas, fragilizadas, por conta da pressão social que sofrem. Está na moda ser forte, ser feliz, viver sempre disposto. É uma ditadura que é alimentada sobretudo pelas redes sociais. Se não se mostrarem assim, as pessoas temem perder o valor, o pertencimento social, temem ser substituídas por outras mais fortes, mais felizes e melhores. Sendo assim, não lhes resta outra opção senão os disfarces da personalidade.

As máscaras da convencionalidade social.

As máscaras que sustentam a superficialidade da vida, que tornam o oco da convivência suportável. Mas, por dentro, o sofrimento da alma, o grito sufocado que nutre doenças físicas, neuroses, desconfortos emocionais, infelicidade.

Posso até ter cedido em alguns momentos, mas não me percebo tão absorvido por essa dinâmica opressiva como sugeres.

Não sou eu que sugiro. É o teu corpo que diz.

Como é que escutas essa confissão?

Observando a postura dos teus ombros.

E o que há de errado com eles?

Não percebes?

Sinceramente não.

Tu estás cada vez mais curvado. E são os teus ombros os responsáveis pela postura incorreta.

Sim, estou com um problema na minha postura, mas logo vou começar a fisioterapia.

Mas não basta tratar o físico.

Mas já é um bom começo.

O que precisa ser modificado é o fardo que levas sobre os ombros. Essa mudança não dependerá da fisioterapia. Os ombros expressam tantos processos interiores. São metáforas que ajudam a entender a dinâmica do encurvamento.

Estás me fazendo sentir o Corcunda de Notre-Dame.

A menina sorri. O homem também. Um sorriso que os põe em comum acordo. Uma proximidade que ele percebe. O seu corpo frágil parece ter se movido em sua direção. Mas ele não viu quando isso aconteceu. Não houve ruído, e ele não retirou os olhos dela. Mas ela estava mais próxima. Ele agora tinha dela uma percepção mais apurada. Era bonita, muito bonita. A pele negra, os olhos grandes, vivos, um sorriso iluminado que tinha o poder de derramar claridade sobre todas as sombras de sua alma. Ficou tentado a estender a mão a ela, mas não o fez. Depois de um tempo em silêncio, perguntou:

Podes me indicar um caminho?

Já estás nele.

Já estou?

Sim, colocaste nele os teus pés no momento em que a disposição interior te visitou para que ouvisses a voz dos teus conflitos. Estás no caminho que dá acesso à terceira via, ao caminho do meio. A palavra abriu sulcos em sua alma, quebrou as estruturas que estavam sedimentadas. E assim começaste a dirimir a estranheza que desenvolveste em relação às tuas questões, percebendo-as melhor.

E o que devo fazer para não deixar de ouvir novamente a voz dos meus conflitos?

Extirpar de tua conduta os vícios que não te permitem ouvi-los. A dinâmica do despojamento se aplica aqui. Perder as proteções que tu te colocas. Olhar-te sem os adereços que usas para teus disfarces pessoais. A vaidade que chegou com teus diplomas, teu poder, teu dinheiro, tuas coisas.

Abrir mão das realidades que alcancei?

Não. Apenas reinterpretá-las. Retirar delas o caráter definitivo. Vê-las como temporárias, acidentais, realidades complementares ao que essencialmente trazes em ti. Tu continuarás sendo quem és ainda que as perdesses. E vais perdê-las. É uma questão de tempo, e tudo o que cerca a tua utilidade perderá a validade. E então terás de te ajeitar sem elas.

Não sei me pensar fora da minha utilidade.

É um problema comum a todos. Mas precisas aprender.

Eu me confundo com a utilidade que tenho.

Mas é o significado que tens que te sustentará ao final. Os que te enxergam somente pela utilidade certamente não permanecerão. Terminando tua utilidade, romperão naturalmente contigo. Mas onde existe amor, ali há permanência. Os que te amam e respeitam pelo que significas não o deixarão, ainda que estejas inútil.

A minha utilidade está intimamente ligada aos resultados que dizes que coloco a serviço de meus disfarces.

Sim, eles funcionam como um instrumental para tuas fugas. E não é sem motivo. Eles te ocupam. A partir deles consegues preencher tua rotina. A agenda está a serviço deles. E, da maneira como vives, alimentas inconscientemente a inverdade de que, se eles te forem retirados, deixarias de ser quem és.

E não deixaria?

Tu deixarias as ambiências materiais do teu ser, mas não o teu ser. A matéria pode até ter significado, mas ela continua matéria. Ainda que revestidas pelo afeto que o tempo derrama sobre elas, coisas são sempre coisas. E podem ser substituídas, trocadas, alteradas. O ser, não. Ele é único. É nele que o significado faz abrigo.

Difícil aplicar isso à realidade. Não posso separar o ser que sou da ambiência material em quem vivo.

O ser é imutável. As ambiências, não. Tudo passa, tudo muda quando evocas a materialidade que te envolve. Mas o ser permanece. Ser enquanto centro da verdade que sustenta o ser que sofre as alterações das fases da vida.

Complicou ainda mais.

Tu és. Nesse tu és a tua verdade repousa. No ser que és experimentas as transformações que não alteram a essência. Quando há um profundo autoconhecimento, a essência se encarrega de expulsar tudo o que possa atentar contra ela. As realidades circunstanciais podem ou não corresponder àquilo que verdadeiramente és. Estudar Matemática durante o processo normativo da educação, por exemplo. Digamos que a pessoa abomine Matemática. Mas ela precisa passar pelas circunstâncias da Matemática. Ela escolheria cursar faculdade de Matemática logo após passar pelo tempo da obrigação com a disciplina?

Não, claro que não.

Sim, é disso que estou falando. Ela jamais quererá cursar faculdade de Matemática, pois sabe que os números não pertencem ao seu interesse essencial.

Mas o que tem a ver a Matemática com o fato de eu não poder me separar das minhas ambiências materiais?

Apenas quis ampliar o exemplo para que entendesses a diferenciação entre essencial e circunstancial.

Entendi.

Às vezes tu assumes circunstâncias que fragilizam tua essência.

Mas se o ser não grita, conforme disseste que ele o faz, então a essência e as circunstâncias não são tão contrárias assim.

A questão é essa. Não sabes mais ouvir os gritos do ser. Desaprendeste. Estás perfeitamente adaptado ao silêncio nocivo do processo. E, ainda que os desconfortos quisessem gritar, tomas remédios para adiá-los. E assim o grito vai sendo represado. As angústias vão sendo esquecidas, os medos vão recebendo a casca da pretensa coragem.

Eu gostaria que não fosse assim.

E não precisa ser.

O que preciso fazer?

Aquilo que já estás fazendo. Ousando viver o desconforto da nudez existencial. E estender o exercício de hoje para tua vida. Todos os dias. Ver-te sem a proteção do poder, do dinheiro, dos diplomas, da vaidade, das imposições do ego. Ouvir o que tens a dizer a ti mesmo. O que te incomoda, o que te realiza. Assim poderás acessar os conflitos que ficam desconsiderados pelos caminhos.

Não é tão simples assim como dizes.

Nunca disse que era.

Mas falas como se eu fosse um covarde que, embora esteja cônscio do que deve fazer, não o faz.

Mas não estás livre da covardia.

Ninguém está.

Já começaste a retirar a pedra do sepulcro onde deixaste os teus desassossegos. O que precisas é incorporar essa prática à tua rotina.

Não sei se estou disposto.

Preferes assumir o papel de covarde?

Assim tu me ofendes.

Eu sei. Quando estamos incapazes de lidar com a verdade ela sempre nos parece ofensiva. É natural que seja assim. Estás acostumado a oferecer aos outros o brilho de tuas hipocrisias. Mas elas não te sustentam mais. Em última instância, sabes muito bem que a admiração e o prestígio que recebes dos outros não ultrapassam as barreiras de teu contentamento pessoal. O que dos outros recebes te atinge de maneira muito fugaz. Somente o que dás a ti pode te suprir. E, como sabes que estás no caminho errado, vivendo equivocadamente, és mesquinho naquilo que te dás.

Teu atrevimento me assusta.

A menina sorri. Sabe que o homem já está rendido. A flecha da palavra já abriu um sulco por onde ela delicadamente toca com os dedos da mão. A menina mexe no profundo das estruturas do homem. Ele percebe que algo está acontecendo, mas não sabe precisar o que se dará a partir do que está sendo revirado. E, porque sabe que pode continuar a dizer, ela o liberta.

Por que não paramos por aqui? Por que não vais na direção de tuas pressas?

O homem a fita e sorri. Ele percebeu a ironia. Ela sabia que ele estava preso na armadilha das palavras. Numa pequena fração de tempo, fez um deslocamento terapêutico que o levou a viajar dentro de si. Peregrinou os caminhos de dentro. Abriu portas, janelas, cômodos de uma casa particular, mas há tempo abandonada. Reviu sentimentos e pensamentos. Fez de si uma mensura e descobriu que eram miúdas as medidas encontradas, injustas à sua possibilidade de ser. Ele, que tanto se esmerava por ser competente, proativo e diligente na busca por soluções que cruzavam o seu caminho, de repente se percebeu um péssimo administrador de si. Ele, que tanto venceu e superou pessoas para ocupar o espaço que ocupa, de repente percebeu que estava perdendo para si mesmo, e o pior, incapaz de identificar o prejuízo que sobre ele se acumulava. E então, cônscio de que não podia mais adiar aquele instante, olhou firmemente nos olhos da menina e, como se dela fosse o pai, disse carinhosamente:

Porque agora quem quer a conversa sou eu.

Nem os longes mais longes do mundo são
intransponíveis ao que pretende chegar.

Sobre a pobreza que enriquece

A menina sorri. Está feliz. A aura da inocência lhe cobre o corpo e lhe concede transcendência. Desfruta de um estado de pureza que nada pode macular. O ser em pleno estado de lucidez, sabedor de todas as possibilidades e limites que comporta, esclarecido acerca da verdade que o anuncia ao mundo. A menina é o ser em estado de pureza. A menina é o ser que tudo sabe sobre todas as outras fases da vida. O homem agora anda de um lado para o outro, como quem precisa encontrar algo que ainda não está ao seu alcance. A menina acomodou-se num canto. Deitou-se no meio das almofadas e tem os olhos fixos no teto. Mas não é o teto que enxerga. O olhar ultrapassa os longes do mundo e mais uma vez enlaça o coração daquele que há pouco se rendeu a ela.

Tua tristeza começou a lançar brotos no dia em que te tornaste escravo das expectativas alheias. No exercício impensado de tuas escolhas, começaste a dar mais importância ao que diziam os outros do que ao que dizias a ti mesmo. E então perdeste o protagonismo, tornando-te uma peça da engrenagem que movimenta o teu mundo pessoal. Perdeste o controle da direção, delegaste-o aos que exercem influência sobre tuas circunstâncias. Passaste a construir a tua vida a partir das exigências e urgências que não eram tuas. E o pior, começaste a acreditar que eram realmente tuas. Nisso consiste a gênese do engano. Os outros invadem o teu poder de decisão. E o fazem porque já conseguiram outra façanha. Já te roubaram o desejo. E assim te tornaste um mero reprodutor de desejos alheios. Não trabalhas para realizar os sonhos que tens. Trabalhas para realizar sonhos que são muito mais dos outros do que teus. Mas há uma satisfação momentânea nesse absurdo. Tens prazer em possuir o que sabes ser desejo de consumo de muitos. É uma especialidade da sociedade de consumo. Semear desejos. E realizá-los é uma forma que tens de alimentar a ilusão de que és superior a todos. Ter o que muitos gostariam de ter derrama disfarce, ainda que temporariamente, sobre a inferioridade que cada um tenta esconder a seu modo.

Falas como se eu fosse um idiota que trabalha dia e noite para ter recursos financeiros que me permitam uma ostentação sem sentido.

E não é? Uma casa na praia, por exemplo, onde muito pouco se vai, representa um custo alto anual. E por que ela é mantida, ainda que quase nunca seja utilizada?

Não sei. Pensei que não fosse problema ter uma casa na praia.

E não seria, desde que tivesses tempo para ela. No teu caso, ela pertence ao contexto ilusório do desejo que te foi incutido pelos outros. E o barco? Ah, o barco nunca tem o tamanho pretendido. Mas tua família cabe inteira nele, e ainda sobra espaço para alguns amigos. Mas é claro que ele ainda não é grande o suficiente. Precisas atender às necessidades dos que te observam, dos que admiram tua riqueza. O barco maior te dará a ilusória e temporária satisfação de seres grande. E por isso necessitas trabalhar tanto. Não para manter o que verdadeiramente desejas, mas para manter o que os outros desejam que tu desejes.

Trabalho muito e estou feliz assim. Minha casa na praia e meu barco não são para mostrar aos outros. Eles são para o meu lazer. Vivi momentos muito especiais naquele lugar. Dias felizes, memórias que guardarei eternamente.

Quando foi a última vez em que estiveste lá?

Isso não vem ao caso. Estou passando um momento de reformulação da empresa. Nos últimos dois anos os trabalhos foram intensos, mas no ano que vem tudo vai mudar. Já estou me programando para viver um período de mais tranquilidade.

Que ano que vem?

O ano que nascerá após este que estamos vivendo. Perdeste a capacidade de raciocínio para as coisas mais elementares?

A menina que até então tinha os olhos voltados para o teto volta-se para o homem. A expressão é leve. A animosidade de antes não existe mais. A delicadeza já está entre eles. Ainda que o tom da conversa ainda seja duro, nada mais é compreendido como afronta, mas como confronto fraterno. Ela agora lhe oferece um sorriso delicado, como se com ele preparasse a resposta que certamente aplacaria a ironia sofrida.

E quem disse que terás o ano que vem para viver?

O homem sorri. Está certo de que ela tem razão. A vida é tão fugaz. Nunca se sabe o que dela ainda poderá receber. Ele está consciente de que sua lida com o tempo não tem sido inteligente. Havia muito não problematizava o fato de ser vulnerável, finito. Vivia esquecido de que o futuro é apenas uma possibilidade. Mas ainda incapaz de assumir o equívoco, e de reconhecer que a procrastinação da mudança tornou-se uma regra, ele se limita a dizer:

Que discurso fúnebre!

Não é fúnebre. É vital. Pois é consciente de que a vida está passando que o ser humano elege as demandas importantes a serem vividas. E a mentira mais recorrente é esta. A de que a mudança que o agora acusa necessária será realizada no ano que vem. Mas quais são as garantias de que a pessoa desfrutará da oportunidade de viver um novo ano? E, se a mudança se mostrou urgente, por que protelar uma decisão que qualificará a vida? Faz sentido adiar atitudes, posturas, decisões que interferirão positivamente?

Às vezes não é tão simples fazer a mudança. É preciso tempo para que tudo seja encaminhado. Por isso as pessoas usam sempre "o ano que vem" como um marco para as transformações.

Mas para boa parte das pessoas este "ano que vem" nunca chega. Continuam vivendo exatamente como viviam no momento da promessa.

Estás generalizando.

Sim, porque estou tentando que vejas que tudo o que falo é a partir do que vejo em ti. Estás há anos mergulhado em conflitos que muito te infelicitam.

Mas infelicidade é uma expressão inadequada para mim. Não me sinto um homem infeliz.

A rotina anestesia a percepção. A infelicidade se instala com a repetição de hábitos desfavoráveis.

Estou cansado. É diferente.

O cansaço é existencial. Ele advém de escolhas que não contemplam outra coisa a não ser o ganho material, a vida social, a rotina exaustiva e vazia que nunca abre espaço para a prática da vida espiritual.

Já disse que não sou religioso.

E nós já acordamos que sim, a espiritualidade não é prisioneira das religiões.

Sim, já acordamos.

A arte espiritualiza, a literatura espiritualiza. Tua alma precisa receber o auxílio da beleza. Tens um cotidiano duro, técnico, difícil. Tua alma fica esmagada com tanta dureza. É preciso dar a ela o alimento que a mantém viva. A alma repercute no corpo. A satisfação se desdobra. Ao ouvir uma música bonita, todo o corpo reage. É química que conheces bem. O corpo reage a todos os estímulos. Bons ou ruins.

Sim, tens razão.

Chegas em casa cansado e não tens ritual de descanso. Teu banho é técnico, teus encontros são breves. O celular nunca é esquecido. Ele te acompanha o tempo todo. E te priva até mesmo do saudável rito de dormir.

Verdade.

E ainda tens coragem de dizer que essa mudança acontecerá no ano que vem? Não percebes a urgência? Estás perdendo um tempo precioso de tua vida, reconheces que estás dando a ti um prejuízo imenso, fato que contradiz profundamente a tua capacidade profissional, pois a empresa não contabiliza prejuízos desde que assumiste a presidência, e mesmo assim insistes em dizer que deixarás a mudança para o ano que vem?

Às vezes não sei por onde começar.

Pensando e agindo a partir do que pensas. Veja bem. Se identificasses hoje um rombo no orçamento que administras, é certo que tomarias uma decisão imediata. Interferirias para que o problema fosse rapidamente sanado. Jamais deixarias a interferência para o ano que vem.

Claro! Eu interferiria imediatamente.

E por que com tua vida pessoal, tua maior riqueza, teu único e real investimento, não fazes o mesmo?

Porque lidar com a gente é mais difícil do que lidar com questões práticas, materiais.

Mas quando lidas com a matéria estás lidando contigo. Quando lidas contigo também estás lidando com a matéria. É o mesmo movimento de ação, pois são dimensões que repercutem mutuamente. A questão é quando não há lucidez na lida. Quando a vida não é refletida, uma dimensão pode aniquilar a outra. O ser e o ter, que também é fazer, constituem o mosaico do ser que és. O importante é manter a mente e o coração no equilíbrio do caminho do meio, o centro que favorece o equilíbrio.

É o que preciso fazer.

A resposta é profunda. Está delicadamente alinhavada ao que o homem reconhece de si. O descontentamento recebeu o batismo dos conceitos. O que antes pairava sob névoa agora recebe uma boa fresta de luz. A verdade lhe chegou por fora, com voz de menina, mas ele consegue perceber que nada lhe foi dado de novo. Tudo aquilo ele já sabia. O que se deu foi a confirmação de um saber que já existia, mas ainda não tinha força de convencimento. Ele olha para a menina. Um pensamento lhe ocorre. Como pode ter tanta sabedoria e esclarecimento sendo ainda criança? A pergunta nem termina de ser formulada e ele se recorda do esclarecimento a que antes tinha chegado. Ela é o seu ser em estado de semente. Condensa e conhece todas as fases da vida. Tudo nela está. O seu "vir-a-ser". Ela é sua fala íntima, a consciência esclarecida, a tutora que, quando ouvida, poderia encaminhá-lo para o melhor de si. O homem sabe que está diante de si, mas ainda não consegue compreender a necessidade de que um ser vindo de fora lhe diga o que ele poderia ouvir por dentro. Uma coisa é certa: a menina não lhe deu nada que ele já não sabia. Mas sem ela ele não teria conseguido partejar aquele novo estado de consciência. E, como se esperasse pelo tempo necessário de o homem pensar o que acabara de pensar, e sabendo que nele existe agora uma fecundidade favorável, a menina recomeça:

O esclarecimento abre as portas para a mudança. Quando a verdade se estabelece, o conflito passa a ser ponta de faca. Fere até que o ferido não suporte mais a dor e saia em busca de cura. E então se cria uma disposição interior à reestruturação do comportamento. A saturação é o último passo para a mudança. Chegar ao fundo do poço só oferece duas opções. Ficar no fundo e aceitar morrer, ou subir e reencontrar a luz.

É verdade. Quando estamos saturados é que nos enveredamos para as soluções que até então adiávamos. Confesso que andei mentindo muito para mim nos últimos anos. Talvez por medo de mexer em situações que ainda não sabia como gostaria de encaminhá-las. Trabalhar menos, por exemplo. Não sei se já é o momento. Eu sei que estou perdendo um tempo precioso. O trabalho me realiza, mas tenho sido negligente comigo e com as pessoas que amo. Tenho aproveitado pouco de tudo o que alcancei financeiramente porque meu empenho está sempre em alcançar mais e mais. Sou um homem rentável. Meu trabalho me rende muitos resultados financeiros. E quanto mais trabalho, mais eu ganho. Às vezes passo dias inteiros a pensar em números. Se faço isso, ganho aquilo. Tenho metas como presidente. Quanto mais eu as alcanço, muito mais sou recompensado. Os números me perseguem. É nesse aspecto que minto. Sempre deixo para o ano que vem a mudança que me deixará com números menores. A ambição me devora. O lucro me impulsiona.

Não és o único que mente assim. Há muitas pessoas morrendo sem executar mudanças, porque estão todas alinhavadas pelas mentiras que contam a si mesmas e pela ilusão provocada pelo eterno projeto do ano que vem. Tu pensas o tempo todo no dinheiro que ganhas quando fazes o que fazes. É um condicionamento. Sabes que tuas horas de trabalho rendem muito dinheiro. E então se estabelece um conflito muito difícil de ser contornado porque o ser humano descobre, cada vez mais, segurança na vida material. O materialismo tem conspurcado a dimensão espiritual humana. E é um ciclo vicioso. Quanto mais o ser humano fica privado de espiritualidade, muito mais ele acredita que a matéria poderá saciá-lo em suas sedes existenciais. A matéria só realiza quando amparada pela espiritualidade. O equilíbrio entre os dois seria o ideal.

Sim. É bem isso que tenho experimentado. Já adiei várias vezes o desejo de reorganizar minha rotina. Minimizar a prevalência da necessidade material, trabalhar menos para ter um tempo de qualidade para as outras dimensões da minha vida. Mas sempre deixo para o ano que vem.

Um ano que nunca vem porque é sempre procrastinado. Como já te disse, não é um problema somente das pessoas bem-sucedidas. Em todas as classes sociais há negligências na lida com o tempo.

Sim, é um problema humano. Um vazio que está por toda parte. Até na escolha de como passar um tempo livre. Às vezes erro tanto. Teria trinta minutos entre uma reunião e outra, poderia tomar um café, conversar amenidades, ligar para minha esposa, filhos, amigos, mas, não, acabo me antecipando em ver situações que poderiam esperar.

É muito difícil reorientar o movimento de uma engrenagem que há muito funciona do mesmo jeito. A mente tem muita dificuldade em desfazer os mecanismos criados. É como vencer um vício. Requer muito esforço e disciplina.

Verdade. Mudar a mentalidade é sempre penoso.

Requer abertura, paciência, abandono da prepotência. E tempo. Há esclarecimentos que só são possíveis com o advento da maturidade.

Que nem sempre é cronológico.

Não, nem sempre. Há anciãos imaturos, atados e escravizados pela ignorância que os privou de conhecerem seus estatutos pessoais, e há jovens desfrutando de liberdade interior, fruto do autoconhecimento que só é possível aos que se cultivam. São jovens, mas orquestraram bem suas relações com o tempo.

Tudo está em torno do tempo.

Sim, é a partir dele que a vida humana se organiza. E, com o advento das novas tecnologias, a principal transformação foi na percepção e na relação do ser humano com o tempo. Antes, por estarem envolvidas em rotinas mais calmas, as pessoas lidavam de uma forma completamente diferente com o tempo. Existiam demoras. Elas eram inevitáveis. Entre escrever, enviar uma carta, por exemplo, impunha-se um longo período. Para receber a resposta, outra longa sequência de espera. Hoje, não. O correio eletrônico deixa, em questão de minutos, a correspondência disponível aos olhos do destinatário. Tudo muito rápido.

Essa facilidade gera ansiedade. Eu a percebo em mim. Acabo de enviar o e-mail e já fico de minuto a minuto vendo se me responderam. É uma prisão comportamental. Reagimos sempre da mesma maneira.

A facilidade gera imposições. O outro sempre interpreta que estás à inteira disposição de suas exigências. Fazes o mesmo com eles, que por consequência também farão com outros, e assim um ciclo vicioso de imposições de pressas vai se alastrando, retirando pessoas de seus descansos, convívios, almoços, jantares, encontros pessoais. Um movimento devassador de privacidades.

Tudo porque queremos correr contra o tempo.

Sim. E para chegar aonde?

Não sei.

Uma corrida que ainda não foi pensada, porque é reativa, não refletida. Todos correm. Apenas correm. E correm muito. E correm em um corpo finito que já está cansado, exaurido, indisposto, adoecido, vítima de uma mente que nunca descansa e que sobre ele descarrega regularmente uma química inimiga da saúde, promotora de desajustes de todas as ordens.

Que coisa estranha!

E correm equivocados. Acreditam que a pressa lhes garantirá o futuro. Mas quem lhes garantiu de que o terão? Vê por ti. O único tempo que sabes que tens é o agora.

E nada mais.

Nada mais.

Mas vivemos sem esse lampejo de lucidez.

Sim. E, se perguntar a todos, a maioria dirá estar insatisfeita com a forma como lidam com o tempo.

E por que não alteram suas escolhas?

Porque estão movidas pelo mesmo falso conflito que tu carregas. Fazem metas para o futuro, planejam uma nova estrutura de vida, mas no fundo não querem abrir mão dos ganhos que custam tanto cansaço. Esse é o cerne do falso conflito. Funciona como uma proteção que retira a pessoa da necessidade de tomar uma decisão que a ela seja favorável.

Falavas sobre ele anteriormente.

Sim, o conflito é falso porque só existe na teoria. Não chega a ser um desassossego que alcança e modifica as estruturas das escolhas. É um discurso que facilmente se faz na roda de amigos, que geralmente é corroborado por todos, mas que nunca entra na engenharia de produção dos fatos. Reclamam que estão cansados, que precisam privilegiar o ócio, um tempo maior ao lado dos que amam, mas nada disso ganha a carne dos acontecimentos. O ano será finalizado, outro será iniciado, e tudo continuará como era, sem nenhuma alteração na estrutura de seus dias. Continuarão trabalhando mais do que devem, acumulando muito mais do que precisam e subjugando seus corpos e suas emoções a uma rotina desumana.

Mas não achas que as pessoas, ao fazerem planos para o ano seguinte, de alguma forma estão sendo esperançosas?

Mas o conceito de esperança não pode ser compreendido a partir da prisão em que tu o colocas.

Como assim?

Falas de esperança sem saber ao certo o que significa. O conceito já está a serviço da prosódia mentirosa, da trama do falso conflito. Em tua boca e na boca de teus amigos o conceito de esperança é vazio. Esperança que não recebe o empenho diário que a torna realizável não é esperança. As pessoas chamam de esperança desejos desprovidos de vontade. O conceito fica esvaziado de sentido. Quem espera opera enquanto espera.

Quase uma frase de jogral.

Uma rima que faz sentido. Esperança carece ser operante para provocar na mente a expulsão do comportamento que inviabiliza o que se pretende alcançar. A esperança só é recrutada em sua riqueza conceitual quando aquele que espera prepara o que espera. O tempo da espera é exigente, é tempo de labor, preparo. Repito para que não esqueças: esperança só é verdadeiramente transformadora quando operante. Note que há um movimento. Quem espera não cruza os braços, mas antecipa no tempo o que espera alcançar ao final.

Faz sentido.

É como esperar uma visita. Prepara-se enquanto espera por ela. É o tempo da preparação que envolve o esperado com aquele que o espera.

Interessante. Embora já tenha praticado essa esperança operante na minha vida, eu nunca tinha pensado a partir dessa perspectiva teórica.

A maioria não pensa. Muitas palavras que são naturalmente significativas estão distantes de suas propostas. É característica destes dias o dizer vazio, desatado das implicações conceituais do que é dito. Dizer que tem esperança, mas nada fazer para possibilitar o que se espera, é equívoco, falácia.

Esperar é administrar o tempo. Para que, quando bater à porta o que esperamos, estejamos prontos. Mas não é fácil administrar o tempo.

Tempo, sim, o tempo. Não, não é. E ele tem sido a origem de muitas frustrações. Em ti, por exemplo.

Sim, eu reconheço.

A pressa com que vives te tornas ainda mais incapaz de percebê-lo. O dia termina e tens a sensação de que te faltaram algumas horas para tuas demandas. Muitas delas a serviço de situações que poderiam ser adiadas. E ainda há o agravante do quanto falas. Pouco ou quase nada do tempo de que dispões é dedicado ao silêncio. Enquanto te desdobras em múltiplas funções, falas com uma infinidade de pessoas. Conhecidas e desconhecidas. Recebes e envias informações importantes, outras nem tanto. Participa de conversas corriqueiras. Curtes e compartilhas textos que não leste até o fim, mas os encaminhas dizendo que são fantásticos. Compartilhas tua intimidade e escreves comentários em fotos de pessoas que se esmeram em cumprir o mesmo ritual que cumpres. O excesso de vida pública e a escassez de vida privada geram um desastroso desgaste físico e emocional à pessoa. O mundo pessoal que deveria receber diariamente a proteção do segredo, da discrição, fica cada vez mais oferecido à banalização dos que vivem em busca de vitrines alheias. Uma rotina que não favorece o silêncio, a reflexão, eixos fundamentais para qualificar escolhas e decisões. O silêncio é depurativo. Através dele conseguirias purgar muitas das tuas ansiedades. Mas nunca o buscas. O silêncio é avesso ao teu modo de viver.

Estamos todos muito cansados.

E não é sem motivos.

Estamos perdidos, eu acho.

Ou encontrados.

Como assim?

A manutenção do mundo de consumo criou currais.

Currais?

***

O homem sorri com a expressão que há muito não ouvia. Lembrou-se do tempo em que visitava a avó que morava numa zona rural e das madrugadas em que acompanhava o avô na retirada de leite das vacas no curral. A palavra puxou o fio da memória. Um sentimento bom o visita. Recobra o conforto emocional daqueles dias tão distantes no tempo. É tão real que até o cheiro da cena a memória lhe permite sentir.

Por acaso estás nos chamando de gado?
Não, mas vivem confinamentos semelhantes aos que o gado vive.
Que história é essa?
O mundo de consumo mantém as pessoas como gado, em piquetes. O remanejo acontece de acordo com as necessidades dos que arregimentam a engrenagem do consumo. O grande objetivo é manter todos encontráveis, em piquetes determinados, falantes, divulgadores, publicadores, marqueteiros domésticos que estão sempre socializando a última isca que engoliram. Sendo assim, fica fácil criar a resposta esperada.
Feito o cão de Pavlov?
Sim, feito o condicionado cão de Pavlov, que mediante um estímulo específico apresentava uma resposta programada.
Eu também trabalho para despertar respostas de consumo.
Eu sei.
A sociedade capitalista funciona assim.
Sim. E por isso não é interessante que as pessoas estejam conscientes de suas reais necessidades de consumo nem tampouco reflitam sobre elas, caso contrário consumiriam muito menos, pois estariam cônscias de que não precisam tanto quanto sugerem os que vendem.

Sim, tens razão.

A superficialização das pessoas está atrelada ao mundo de consumo. Não é interessante ao sistema o senso crítico, a reflexão que pode provocar a libertação do condicionamento. Cria-se um conceito de felicidade baseado no ter, estrutura-se um marketing em torno dos produtos que prometem viabilizar essa felicidade, e despeja-se sobre os confinados que estão nos piquetes especialmente preparados para eles. A resposta vem rapidamente. Subjugadas à incapacidade de escolha, porque estão condicionadas a responderem comprando, as pessoas são naturalmente conduzidas a um novo piquete, no qual outras novidades esperam por elas. Tudo porque internalizaram a convicção de que, se não consumirem, deixarão de pertencer à sociedade que só integra e abraça quem consome.

E o ciclo nunca termina.

Não, não termina. E com um agravante. No movimento vicioso do ter não há espaço para a reflexão sobre o valor do que se tem, sobre a riqueza emocional que a matéria pode despertar. E, porque as pessoas vivem as aquisições sem pensar sobre elas, resta-lhes o raso sentimento de ter, que facilmente perde o encantamento logo após a aquisição.

As coisas são mais bonitas na vitrine.

Ou na casa do vizinho.

Muito do que dizes é verdade. A matéria não consegue nos realizar por muito tempo.

Lacan refletiu bem sobre a duração de um desejo.

O que ele disse?

Muita coisa.

Podes me oferecer pelo menos uma frase?

O melhor da festa é esperar por ela.

Lacan disse isso?

Não, claro que não. Mas é a partir de sua teoria que o dito popular foi criado. O desejo é que mantém o ser humano vivo, e não a realização dele.

Uma espera operante.

Sim. Enquanto é alimentado por um desejo, o ser humano mantém viva a dinâmica da existência. Mas quando esse desejo passa a gravitar somente na dimensão material, limitando-se a tocar superficialmente as questões que trazem sentido à existência, há um natural comprometimento da realização pessoal do ser que deseja.

Claro. O que nos realiza é muito mais que material.

Sim, é a satisfação que te ocorre por seres quem és e, com menos importância, mas sem desprezar, é claro, aquilo que tens. O ter, quando sob o controle do ser, não oprime.

Mas quando o ser permanece subjugado ao ter, cria-se uma vida de frustrações.

Um desastre existencial.

Um vazio.

Um caos.

Concordo.

Que bom que concordas. É sobre isso que precisas pensar.

***

O homem caminha até uma das portas do imenso closet. Abre e puxa uma gaveta repleta de gravatas impecavelmente colocadas como se estivessem num mostruário de loja. Os olhos percorrem algumas até que suas mãos recolhem uma delas. O sorriso no rosto denuncia que há uma conexão que extrapola a materialidade da gravata que agora repousa em suas mãos.

Esta gravata foi um presente de minha mãe.
Gostas dela?
Muito! Ela não entendia de gravatas, mas me surpreendeu com este presente no último aniversário que passou comigo. Morreu alguns meses depois.
É uma gravata cara?
Não, pelo contrário. Minha mãe era uma mulher muito simples. Embora eu tenha lhe dado uma vida confortável, ela nunca deixou a simplicidade de antes. Ela não aceitou se render ao luxo. Por mais que eu quisesse lhe proporcionar, ela se recusava a aceitar. Preferiu continuar morando na cidade onde nasci. Nem da casa quis sair. O máximo que consegui fazer foi restaurar completamente a estrutura, ampliando-a, deixando-a bonita e confortável. Quis trazê-la para morar comigo, mas ela não concordou. Dizia que minha casa era grande demais para que se sentisse em casa.
Então essa gravata não deve ter custado muito dinheiro.
Não, claro que não. Entre as muitas gravatas que tenho é a única que não é assinada por uma grande marca.
Vou perguntar de novo. É uma gravata cara?

***

O homem sorri. Observa que a menina continua com o olhar fixo no teto. Impressionante como ela era capaz de retirá-lo do senso comum. Desde que iniciara aquela conversa já havia abordado questões que havia anos não era capaz de abordar. Ele acaricia a gravata, sente a textura simples do tecido, põe atenção no vermelho vivo listrado delicadamente de azul-marinho. A gravata é bonita. Ele posiciona-a como se fosse usá-la e finalmente responde.

    Sim, é cara. Melhor dizendo. É a mais cara entre todas.

Agora quem sorri é a menina. Sorri como se ela se orgulhasse de fazer o homem andar a pequena distância que o separava da consciência daquele valor. Ela sabe que, na mente dele, a conversão aconteceu. Compreendeu a natureza diferente daquela carestia. Deslocou os olhos especialistas em reconhecer valor monetário e adentrou os territórios dos valores que o dinheiro não compra. A gravata que tem em mãos é cara. Sim, muito cara. Ainda que somasse o valor de todas as outras, ela continuaria superior.

    Qual é o preço dessa gravata?
    Ela não tem preço.
    Mas quanto ela custaria numa loja?
    Ela não poderia ser encontrada numa loja.
    Muito bem. Poderia até encontrar uma igual. E ela custaria muito pouco, pois disseste que não pertence a uma grande

marca. Mas essa que tens nas mãos é um item materialmente pobre que te enriquece. Ela tornou-se um celeiro de memória.

Sim. Deixou de ser apenas uma gravata, tornou-se um simbólico que me permitiu segurar a mão da minha mãe mais uma vez.

Depois de ter saído do meio de tantas outras iguais ou parecidas, essa gravata deixou de ser como todas as outras. Ela foi escolhida pelos olhos de sua mãe, passou pelas mãos delicadas que avaliaram a textura, imaginou-a no pescoço do filho, foi entregue à moça do caixa, recebeu os cuidados da responsável pelos embrulhos de presentes e finalmente chegou às suas mãos. Um pequeno roteiro que arrancou a gravata de sua mesmice. A escolha fez com que ela abandonasse o caráter coletivo de produto feito em série, porque barato, não artesanal, e alcançasse a condição de sacramento de uma recordação.

Bem assim como descreves.

A gravata que tua mãe te deu.

Meses antes de morrer.

Estavas esquecido dela?

Da gravata ou de minha mãe?

Há diferença nesta hora?

Não.

Há momentos em que as pessoas se confundem com as coisas, como se um movimento poético fundisse as duas realidades numa só. O impacto que as coisas causam sobre a memória é um mistério admirável. Pela matéria és conduzido à geografia dos afetos, das lembranças, da vida que viveste um dia, do amor que te foi oferecido, do grão de eternidade que se instalou nas impermanentes horas do tempo.

Foi o que aconteceu agora.

A gravata te devolveu à tua mãe?

Sim. Cheguei a sentir o cheiro dela aqui.

É assim que acontece. Num descuido da razão as emoções recobram o direito de dizer o que precisa ser dito.

O homem é novamente visitado pela emoção. A lágrima desce mansa sobre o rosto maduro. Os olhos estão fixos na gravata que as mãos seguram como se amparassem um diamante raro. O tempo deixa de ser importante. Experimenta a alforria temporária das imposições que caminham por fora. A regência está em si. É o descuido da guarda, o esquecimento de ser homem crescido, bem-sucedido, respeitado e invejado por muitos. E então a memória realiza a liturgia das preciosas devoluções. As mãos delicadas da saudade remexem o barro das reminiscências adormecidas, dos tempos idos, reconstruindo a cena em que o filho está abraçado à mãe. Os filamentos das individuais presenças se unem, como se o movimento restabelecesse a cena do ventre, fração de história na qual a simbiose fundia a mais frutuosa dependência que, depois de findada biologicamente, rompida pelas contrações que apartam o corpo filiado da matriz hospedeira, estende-se noutros formatos de continuidade menos visíveis, mas nem por isso menos determinantes. O homem chora sem medo. A menina não o intimida. Ao contrário, sua presença o encoraja. Ele se sabe profundamente acompanhado por ela. As lágrimas ritualizam as oblações redentoras. Lavam os canais obscuros da personalidade, lavam culpas, arrependimentos que não foram quarados à luz da misericórdia da vida, purificam o entendimento até então amordaçado pelas hipocrisias, pelas escolhas que o distanciavam dos significados que a gravata resguardava.

Farias algo diferente?

Faria.

O quê?

Dedicaria mais do meu tempo para ouvi-la.

Certamente teria te feito bem. A mãe é guardiã de verdades que só elas podem contar.

O filho que fui e que só ela viu.

O filho que só ela conheceu.

O filho que fui somente para ela.

O filho que foste somente com ela.

Nos últimos anos eu a ouvi pouco. Nem sempre tinha paciência de visitar a mesmice dela. Achava enfadonho ouvir as mesmas histórias.

Requer despojamento interior adentrar o mundo do outro. Sobretudo quando ele vive num tempo completamente diferente. Tua mãe estava noutra esfera do tempo. Ela já desfrutava da lentidão que permite a contemplação.

Sim. Nunca estávamos no mesmo tempo. E eu percebia isso. Entre uma fala e outra fazia-se um hiato. E eu sempre quebrava com perguntas corriqueiras. Sobre o calor ou sobre o frio, se a saúde estava boa, se tinha notícias de um ou outro parente.

E assim ficavas privado de perguntar o que só ela sabia sobre ti.

Será que ela tinha vontade de dizer?

Todas as mães gostariam de entregar aos filhos a chave do cofre. Mas nem sempre conseguem. Elas sabem o que sabem. Mas esbarram no fato de que aos poucos vão ficando num tempo completamente diferente dos filhos.

Se eu tivesse a percepção no momento em que isso estava acontecendo, talvez conseguisse alterar o resultado.

A percepção nem sempre acontece na hora que precisas dela. E ainda tens um agravante. Olhas depressa demais para tudo o que te acontece. A pressa prejudica a percepção do que acontece à tua volta. E os tempos se distanciam.

Nunca tinha pensado que os tempos das pessoas poderiam ser diferentes. Faz todo sentido. A cronologia que nos rege é a mesma, mas há outro tempo que não é cronológico.

O tempo da sua mãe foi sendo modificado à medida que ela foi perdendo a utilidade. A vida abriu horas para folgas intermináveis. Já não tendo o que fazer, restou-lhe criar a ciranda do ser. E ela até tentou algumas vezes te colocar para dançar a ciranda com ela, mas nunca pudeste.

Eu não percebia que aquilo me faria falta um dia.

Costuma ser assim. Repara-se na raridade do tempo depois que ele já passou. Os olhos tão visitados pela pressa deixam de perceber o que pelo tempo está sendo oferecido.

Acordei tarde.

Talvez não.

Acordei. Minha mãe já está morta.

Mas podes recobrar o que dela ainda vive.

E onde posso acessar o que dela está vivo?

Em ti.

É empenho diário não permitir que as coisas
que compramos nos comprem.

Sobre as coisas que nos possuem

O homem retira o blazer e a gravata. Mas por dentro já está despido. A alma nua naquele instante lhe concede uma liberdade que há muito não experimentava. A lembrança da mãe lhe deixou confortável em si. Felicidade não seria isso? Sentir-se confortável em si mesmo, tudo cabendo no corpo, um deleite racional de saber-se sem excessos nem ausências? O todo da soma, sem a injusta cobrança, mas também sem a economia que aparta do que verdadeiramente se pode. A luz delicada do dia penetra as janelas do imenso quarto onde tudo é integrado e sem divisões. Closet, banheiros e espaço de dormir. Muitos metros quadrados agora reduzidos ao pequeno colo de mãe que a emoção reconstruíra. Lágrimas lavam delicadamente o rosto visitado pela saudade. Abrupta percepção de um antes velado, ocultado pela dinâmica da pressa. Sim, a gravata sempre estivera ali, mas só agora ele estivera como precisava estar para que a gravata fosse encontrada. A menina tem os olhos depositados no seu homem desconstruído. Ela gosta do que vê. Quase eu, pensou. Agora já está sem as amarras da vida adulta que o privam de reencontrar a mãe na repartição das gravatas. Nunca é tarde para renascer. Ainda que a mãe já esteja morta. Retorna-se ao ventre pelos braços da saudade. Retorna para reencontrar-se, para receber novo ânimo, redobrada porção de vida sobre o corpo cansado. O choro faz parte do nascer. É com ele que se inaugura a vida. O renascimento também. Cada oportunidade de chorar pode refazer o aquoso conforto do primeiro berço. Pelo choro purificam-se mente e coração cansados. O corpo carece de viver a catarse das lágrimas. Por meio dela renuncia-se ao fardo emocional que obscurece as disposições interiores, ao livre exercício da vontade.

    Há quanto tempo não choravas?
    Chorei na semana passada.
    Mas aquele choro foi de raiva.
    Não conta?
    Não tanto. O choro que cura é o involuntário, o que chega pelas mãos do vazio e que aos poucos vai esclarecendo o lugar de onde vem. O choro que choraste há pouco e o que choras agora são movidos por motivos redentores.
    Este choro está me fazendo bem.
    Eu sei. Por que não tiras os sapatos e te acomodas por aqui onde estou? Terás uma vista bonita daqui.

O homem obedece, busca o mesmo recanto onde a menina está aninhada entre as almofadas. Sem os sapatos, procura o lado oposto de onde estava e agora presta atenção na menina por outro ângulo. Por um instante sente-se estranho. Embora more nesta casa há mais de cinco anos, nunca havia sentado naquele chão. O carpete confortável é agradável ao toque. O homem experimenta uma satisfação rara, como se estivesse provando um sabor inédito. Fecha os olhos. O choro lhe concede um descanso emocional. Ocorre-lhe a consciência de como é bom chorar. As lágrimas cumprem o ofício de conduzirem os fardos ao departamento pessoal e lá serem despedidos. Permanece em silêncio por um período que não sabe precisar. O tempo não é mais importante. Desfruta do redentor esquecimento das horas. Nem mesmo lhe ocorre a necessidade de ligar para a secretária a fim de desmarcar os compromissos da manhã. Não sabe se ela ligou. Se tiver ligado, ele não pôde ouvir. O celular está no silencioso dentro da pasta. E pela primeira vez nos últimos anos o homem não sente nenhuma necessidade de ir ao encontro do aparelho.

 Ainda sobre os relógios que não usas. São quantos?
 Muitos. Bem muitos.
 Eles são teus?
 Claro que sim. Eu os comprei.
 Não é bem assim que funciona.
 Do que falas?
 Quando a sabedoria se ausenta na lida com as coisas, há uma inversão de propriedade. As coisas que eram das pessoas passam a possuir as pessoas. As pessoas das coisas. Intuo que o mesmo aconteceu contigo. Os relógios não são teus. Tu és deles.

O homem ri. A risada ecoa forte pelo ambiente. Um riso solto, misturado ao choro que ainda se estendia manso, imprevisto e sincero como fora o choro compulsivo anterior. A menina sorri também. E então o homem arremessa carinhosamente uma almofada na sua direção e retoma a conversa.

***

Às vezes penso sobre isso.

Quando pensaste sobre isso?

Durante uma viagem. Comprei no aeroporto um livro de Nélida Piñon que me fez pensar a relação que estabeleço com as coisas.

Qual era o livro?

Livro das horas.

Gostaste do que leste?

Muito.

E o que te chamou atenção?

Que morrer é um conflito que nos desperta para duas questões. Como ficarão as pessoas e com quem ficarão as coisas?

Interessante.

Ela me fez pensar que a segunda questão me desperta mais ansiedade.

Com quem ficarão as coisas?

Sim.

Sabes dizer o motivo?

Talvez porque eu não seja capaz de fazer o outro sentir o mesmo que sinto na relação com as coisas que se tornaram importantes para mim. Sei que é uma bobagem, mas incomoda-me pensar que os valores materiais que lutei tanto para conquistar possam receber o exílio do mero valor monetário.

O desamparo da matéria?

Sim, o relógio que possui um valor de mercado, mas que também possui um valor emocional.

O valor emocional morre com a pessoa.

Sim, e isso me angustia.

Já falaste sobre isso com tua esposa e teus filhos?

Tentei começar a conversa, mas senti que eles não entenderam. Até demonstraram atenção, mas não compreenderam a questão da maneira como eu compreendo.

E é muito simples.

Sim, muito simples.

Talvez por isso não entendam. O valor emocional nem sempre se submete às regras da transferência, pois está ligado ao teu jeito específico de ver. Mais ainda. Está alinhavado à experiência pessoal que tiveste com ele. Nem tudo o que sentes se encaixa no movimento da transferência. Ainda que tentes transferir a alguém o significado emocional das coisas, enfrentarás um limite teu e também do outro. Teu porque esbarras no limite da linguagem que te permite falar sobre o valor, e do outro porque ele esbarra no limite de não poder acessar o que tentaste dizer com tua linguagem imprecisa.

Já identifiquei que o "com quem ficarão as coisas" não pode ser desatado do "como ficarão as pessoas". É uma construção que faço irmanado com muitos outros.

O ter nunca pode ser vivido sem a conexão com o ser. Somente os vínculos protegem, ainda que sob os limites naturais que são próprios das proteções humanas, das angústias que te são causadas pela finalidade das coisas.

Gostaria de alcançar o desprendimento que me desobrigasse de pensar no "com quem ficarão as coisas".

É um caminho possível.

Mas não para mim. Estou formatado para gostar de ter. E meu gosto pelo ter gera angústias diárias na manutenção do que tenho.

As coisas te possuem. E não o contrário.

Com essa gravidade que afirmas?

Sim, com essa gravidade.

Mas não gosto de pensar sobre isso.

É natural que não gostes. Viver amarrado às coisas provoca muitas neuroses.

Uma delas, por favor!

A desconfiança. Estás sempre vigilante para não seres enganado. Para que nada ameace a versão particular que tens das minas do rei Salomão. Precisas manter à distância os possíveis saqueadores.

Tu e essas histórias das minas.

O homem sorri. No fundo ele reconhece protagonizar o estranho papel que a menina sugere. Sim, ele reproduz, em pequena escala, as minas do rei Salomão. Em seus santuários particulares acumula objetos com altíssimo valor de mercado. É um rei moderno, com as mesmas antigas estranhezas dos reis que frequentam as páginas da história do mundo. Reis excêntricos, egoicos, alguns loucos. E reconhecer isso lhe enche de vaidade, mas também de vergonha.

Mas há um conflito. Precisas manter longe os saqueadores, ao mesmo tempo que careces diariamente de plateia a quem possas expor as tuas minas.

Achas mesmo que expor aos outros os bens que tenho é mais importante do que possuí-los? Será que sou tão fútil assim?

Se considerares o excesso com que te expões, concluirás que sim.

Não acho que estejas totalmente certa.

Tornar público o que tens é um recurso que reforça o que tentas afirmar ao mundo. É como se a publicação aliviasse as carências enfrentadas pelo menino pobre que já foste.

E isso não funcionaria como uma cura?

Nenhuma cura é possível enquanto se vive a serviço da necessidade de reconhecimento. A cura desobriga das amarras da necessidade. Ter para si, e não para mostrar ao outro, já é sinal de cura emocional. Além do mais estarias tentando curar as feridas da infância criando feridas também muito dolorosas.

Que feridas?

As da vulnerabilidade que crias ao te expor, da imaturidade que assumes quando insistes em mostrar excessivamente o fruto das tuas conquistas e da futilidade que te equipara ao restante da sociedade que escolheu viver da mesma maneira.

E se estão todos vivendo da mesma maneira, que mal existe em viver assim?

Nenhum, desde que não te infelicites inconscientemente com o teu modo de viver nem tampouco te inquietes em assumir a boçalidade como forma de ser e estar no mundo. É o que queres?

Não.

Também acho que não.

O que achas que preciso fazer?

Já disse que estás fazendo. Abrindo a porta da casa interior, permitindo que a luz do entendimento te permita um novo olhar sobre ti, refletindo sobre o modo como vives.

É o suficiente?

Não, mas a reflexão viabiliza condições para que interfiras em tuas atitudes. Só assim o amadurecimento é possível. Ao te dispores ao acolhimento dos conflitos, começas a desmontar as estruturas de tua autossabotagem e, assim, podes chegar a um novo entendimento da realidade. A isso se chama quebra de paradigma, que é a oportunidade de ver o que sempre vês, mas sob outro enfoque. Quebrar paradigma é o exercício mental de retirar o pó da vida que rotineiramente vives, sem que percebas dela os desdobramentos mais profundos. Mudar a forma como pensas vai te permitir acessar o desejo que ativa a mudança.

Preciso quebrar paradigmas diariamente na empresa.

Então por que não usas a mesma regra em tuas escolhas pessoais?

Porque meu envolvimento com minha vida pessoal não tem a mesma intensidade do meu envolvimento com minhas questões de trabalho. Foi o que concluímos juntos.

Eu sei. O resultado desse distanciamento está no fato de seres propriedade de tuas coisas, e não o contrário. Trabalhas sob a inevitável imposição dos bens materiais. Trabalhas para tê-los, para mantê-los, e ainda que muito pouco deles desfrutes continuas servo de cada um. A eles tens dado o controle de tuas emoções, teus pensamentos, teu corpo. Vivendo sob a gestão das coisas, constróis uma rotina extenuante. O ciclo vicioso te absorve. Motivos inconscientes movem tua conduta. O ter sem sentido está intimamente alinhavado às carências do passado, ao tempo em que estavas sob a imposição da pobreza de tua primeira infância.

O menino pobre nunca nos abandona.

Eu sei que não, mas podes deixar de obedecê-lo.

É possível?

Claro que sim!

Como fazemos?

Sempre que perceberes estar agindo sob as imposições dele, desmacara-o. Diz a ele que as carências do passado não se justificam mais, que o tempo passou, que tu és um homem realizado, que não faz mais sentido provar aos outros que o menino pobre já foi devidamente satisfeito em suas necessidades.

Não é tão simples assim. Nem sempre sei distinguir o que realmente quero das exigências do menino.

É mais simples do que pensas.

Como?

É preciso aprender a diferenciar o eu do ego.

Das aulas de Psicologia me lembro muito pouco.

Mas há pouco citaste o cão de Pavlov.

É que gostei muito da análise dele sobre os condicionamentos. Fala-me sobre o eu e o ego.

Nem é tão fundamentado na Psicologia. É apenas uma forma didática de compreender a diferença entre o ser que vive para as questões internas e o que vive para as externas.

Então, fala-me disso.

O eu tem estreita ligação com tua verdade, com tudo aquilo que diz respeito à tua coerência pessoal, com o que em ti não pode ser negado. É no eu que encontras os caminhos de tua realização. Quando te sentes verdadeiramente satisfeito, e entenda-me bem, eu me refiro ao teu saber mais profundo, àquela satisfação que não te chegou por motivos sofisticados, mas que te ocorre naturalmente, como se uma invasão de pequenas células de alegria corressem pelo teu corpo, tivesse um contato com teu eu. O eu diz respeito aos teus bastidores. O ego também diz respeito à tua verdade, mas com uma diferença. Nele não há o discernimento proporcionado pela pureza da essência. Ele já está sob as influências das realidades que te circundam. É através do ego que as outras pessoas acessam a tua vaidade, impondo sobre ti uma série de projeções que acatas instintivamente. Por isso ele se torna facilmente o pavimento de teus excessos e vaidades. Eu e ego possuem exigências muito diferentes. Enquanto um te projeta para dentro, levando-te ao encontro de tuas reais necessidades, o outro te projeta para fora, tornando-te alvo fácil das expectativas alheias, facilitando que te tornes vítima de ti mesmo.

É o martírio do sucesso.

Para muitos, sim.

Há exceções?

Sempre há. Quem se habitua a ouvir a voz do eu, quem se esmera por não sucumbir às desonestas exigências do ego, consegue tornar o sucesso uma realização, e nunca um martírio.

Mas manter-se no topo é sempre um martírio.

Mas não precisa ser. Basta compreender o movimento da vida, a oportunidade que terás de sair da cena habitual, buscar outros horizontes, descobrir caminhos que até então não puderam ser trilhados por conta das exigências das cenas existenciais anteriores.

Sair de cena nunca é tarefa fácil.

Não, não é mesmo.

É como morrer.

É uma forma de morrer. Mas é também uma ressurreição. Quando o ser humano consegue compreender que a luta pelo primeiro lugar tornou-se uma batalha injusta, cruel, ele naturalmente se encaminha às searas que até então lhe eram desconhecidas. E então vai descobrindo sabores que a luta pelo topo lhe privava desfrutar.

Um amigo se deprimiu quando deixou a presidência da empresa em que trabalhava. Foram dezoito anos à frente do grupo, até que foi substituído por um executivo mais jovem.

É muito comum que quadros depressivos se estabeleçam quando uma pessoa precisa se ajeitar no mundo da aposentadoria. O não ter o que fazer pode provocar a sensação de inutilidade.

É verdade.

Creio que o motivo seja o excessivo investimento nas exigências do ego, em detrimento do pouco cultivo do eu. Quem ao longo da vida de trabalho não se priva de dar alimento ao eu, investigando com honestidade seus gostos pessoais, permitindo-se o tempo necessário ao descanso, descobrindo prazeres espirituais, como a leitura, o estudo, a prática da arte, a oração, a meditação, a atividade física, quando precisar reorganizar a vida terá mais facilidade em ocupar-se com o ócio criativo. O ócio não precisa ser vazio. O tempo da aposentadoria pode ser de absoluta dedicação ao eu, ao cerne da verdade que, quando bem cuidada, ajuda o ser humano a despedir-se do tempo com sabedoria.

Também acho. O problema é que o mundo corporativo é um ambiente propício à manutenção das rotinas do ego. E, quando os executivos se aposentam, colhem as consequências do que plantaram durante o tempo útil de trabalho.

Assim como o mundo das celebridades.

Sim, onde os egos são imensos.

Artistas, atletas, personalidades, políticos, enfim, pessoas que conseguiram notoriedade social pelo trabalho que realizam, costumam ser cercadas de bajuladores. Com isso se desacostumam de serem contestadas. Os séquitos que as rodeiam foram constituídos para cumprir-lhes as exigências, os caprichos, satisfazer-lhes as necessidades. Elas se esquecem que são pessoas comuns. E às vezes ficam privadas de uma rotina que favoreça o contato com a simplicidade do eu, do cultivo pessoal, da observância das questões primárias, como amar e ser amado, sem interesses, sem projeções, que são fundamentais para a saúde emocional.

Sim, tens toda a razão.

O ego tem especial apreço pela matéria. É a partir dela que ele se satisfaz. É na matéria que ele se projeta. O carro, a casa, o relógio, o barco, o avião, os números alcançados, tudo passa a ser um palco de exposição pessoal, um instrumento de publicação de si.

Verdade.

Mas há outro aspecto que me parece ainda mais cruel.

Qual?

Até uma pessoa pode cumprir o papel de também ser matéria na qual o ego se projeta.

Como assim?

O ego é ardiloso. Causa-lhe enorme satisfação ter ao seu lado pessoas que possam satisfazer sua sede de visibilidade. É a partir dessa necessidade que ele estabelece com outras pessoas uma relação objetal. Pessoas são submetidas à condição de mecanismos, engrenagens a moverem o mundo do ego.

Pessoas-objetos.

Sim, que, por estarem imersas no mesmo contexto desumano, costumam repetir a crueldade com outras. E assim o ciclo vicioso das relações objetais vai se avolumando. É lamentável que pessoas repassem às outras aquilo que elas lamentam ter recebido.

Por que somos tão vulneráveis a ponto de não perceber que estamos reproduzindo com os outros o que tanto nos fez mal?

Porque nem sempre a ação é livre. O condicionamento, resultado da ferida emocional, perpetua-se quando a liberdade interior, que poderia impedir a continuidade da crueldade, é sufocada.

Não entendi.

Só no exercício da liberdade interior uma pessoa é capaz de corrigir em si um comportamento destrutivo. Por ter sido vítima de alguém, registra em si um trauma. Se esse trauma não foi curado, é certo que ele motivará uma reprodução das atitudes que a traumatizaram.

E assim ela repete com o outro o que ela lamenta ter sofrido.

Justamente. É preciso ser livre interiormente para não levar adiante as maldades que sofreu.

Uma reconciliação com a vida vivida.

Abrir mão das experiências dolorosas, dos traumas sofridos, derramando sobre o passado o véu da reconciliação. Olhar para a vida e perceber que ela foi como poderia ter sido. Sem acusações, sem vitimismo. Foi, terminou, e o resultado que ficou pode servir como lugar de purificação.

Não é uma tarefa fácil. É tão comum perceber as pessoas ressentidas, magoadas, estabelecendo com a vida uma relação pautada no ressentimento.

E estando ressentidas expulsam de si a gratidão, o sentimento que abre o coração para o novo que o tempo sempre traz.

É assim que me sinto agora.

Grato?

Sim. Como nunca me senti.

Então o novo já está acontecendo.

Não faz sentido permitir que o custo
da vida seja superior às alegrias.

Sobre o que nos custa ter o que temos

A gratidão é o sentimento que derrama cura sobre o passado. Enquanto houver ressentimento não há continuidade. Um coração ressentido coloca obstáculo no caminho por onde o tempo sopra a novidade. O homem sabe. Está consciente de que os equívocos reconhecidos não podem ser submetidos à culpa. O que cabe é arrependimento. A culpa paralisa. O arrependimento dinamiza, encaminha mudanças. Ele está disposto ao arrependimento. Nele há um movimento interior que o coloca diante do futuro com uma nova disposição, como se a alma tivesse recebido uma demão de tinta, uma cor brilhante cobrindo o que antes estava opaco. A voz da menina o retira do devaneio.

Terminou o tempo das delicadezas. As pessoas estão indelicadas. E com o agravante de não perceberem que estão. Invade-se, como se fosse algo natural, a vida do outro. E essa prática monstruosa é motivada, ainda que inconscientemente, pelos que são invadidos, uma vez que são eles os primeiros responsáveis pela devastação de sua privacidade. Há uma necessidade de tornar público o que deveria ser privado. E tu participas ativamente desse absurdo.

Estás insistindo em dizer que sou um exibicionista.

Sim, e por muitos motivos.

Diga-me mais um.

Tua casa é de vidro.

E qual é o problema?

Moras num caixote, uma espécie de aquário que te expõe aos que passam.

A fachada não é de vidro sem razão. Eu a quis para que tivéssemos uma boa vista do jardim e da rua.

Essa é a desculpa que arranjaste para justificares a faixada de vidro. Mas não foi bem essa a primeira intenção. Aliás, esse foi o argumento de quem a projetou. Tu quiseste imediatamente a casa como ele propôs porque o projeto corroborava tuas intenções inconscientes.

Como assim?

Falávamos sobre isso anteriormente.

Falamos de tantas coisas. Fale-me novamente.

Nenhum problema.

Então me diga.

Tuas conquistas materiais gravitam em torno de teus desamparos afetivos. A casa de vidro está a serviço deles. O menino pobre precisa mostrar que deixou de ser pobre.

Será que nada em mim é livre das determinações das restrições de minha infância?

Ninguém é por acaso. Para compreender o hoje de uma pessoa é preciso recuar com ela em sua história. Em ti ainda há um menino muito necessitado de reconhecimento.

Mas, meu Deus, não acho que seja tanto assim. Dá-me a impressão de que não há nada no meu jeito de ser que não esteja cercado pelas exigências descabidas do menino pobre.

Ele ainda é muito atuante. Dita regras ao adulto que és. E sem que o percebas. Ele nunca está satisfeito ao que a ele ofereces. Ele clama por grandezas constantemente. E elas são caras. Ele precisa excessivamente de carros, avião, barco, moto, relógios, casa na praia, muitas roupas e uma casa de vidro. Ao menino não basta ter. É preciso mostrar que tem. Não é sem motivo a casa ser tão devassada.

Nunca pensei que gostar de um projeto arquitetônico tivesse alguma associação com infância sofrida.

Tem. E muito.

Sim, estou percebendo.

Arquitetos são especialistas em ler carências.

Casas que aliviem nosso complexo de inferioridade?

Eles sabem o que despertarão com seus projetos.

Não acho justo generalizar. Nem todo mundo sofre do mesmo mal que eu. Bem, acabo de assumir as acusações recebidas.

Tens razão. Os arquitetos são preparados para construir sonhos, projetos que deixem os clientes satisfeitos, que permitam a agradável experiência de se ter um lugar no mundo para chamar de seu. Felizes os que podem construir suas casas de acordo com a arquitetura de sua alma.

Sim, concordo.

Mas no teu caso o arquiteto identificou a pequenez que tanto te faz sofrer. E com muita competência, e sem nenhum esforço, convenceu-te a fazer uma belíssima casa de vidro. Ele certamente entendeu que a ti não bastava ter. Era preciso mostrar aos outros o que tens. A vista para o jardim foi o argumento que amenizou o desejo de notoriedade, de exposição.

Mas ele fez a casa exatamente como eu quis.

Claro. Já ressaltamos a competência dele. Disseste o que querias quando o procuraste. Naquela reunião fizeste rápidas considerações sobre a forma como pretendias que fosse o projeto.

Sim, eu disse, pois o projeto só acontece depois de uma entrevista com ele. Apenas dei dicas de como gostaria que fosse a construção.

E, quando ele apresentou o projeto, achaste impecável.

Sim, e era. Podes ver que nossa casa é muito bonita.

Sim, todos a admiram.

E isso não é bom?

Seria se a beleza dela não estivesse a serviço de teus vazios. Se considerasses tua casa como um lugar para ti, para tua intimidade, teu descanso, certamente terias interferido mais no projeto. A casa é excessivamente devassada. Não há intimidade. Estão constantemente visíveis quando circulam por ela.

É, às vezes isso me incomoda um pouco. Mas por que estamos falando tanto desta casa?

Porque, se entenderes o motivo de teres querido esta arquitetura, talvez possas entender um pouco melhor a arquitetura das questões que te afligem.

Entendi. Então continua.

Há em ti uma contradição.

Só uma?

Muitas. Mas agora me refiro a uma delas.

E qual é?

És tão esclarecido em tantas questões práticas relativas ao teu trabalho, tens uma diligência incrível para perceber se os outros te enganam ou não.

Obrigado. Até que enfim um elogio teu.

Mas ao mesmo tempo és uma isca fácil. Basta acessar tua necessidade de reconhecimento e então o outro consegue facilmente te ludibriar.

Um exemplo, por gentileza.

Não percebes que te venderam um projeto que muito pouco contemplava tuas reais necessidades?

Mas esta casa é muito confortável. E não faria sentido construir uma casa simples, sem conforto, uma vez que tenho condições de construí-la assim.

E quem disse que estou falando de não ter conforto? Nada mais justo do que usufruir dos resultados financeiros do teu trabalho. Uma casa bonita, confortável, onde a alma se sinta bem deveria ser um direito de toda pessoa.

Sim, também acho isso.

Eu me refiro à necessidade de mostrar aos outros o conforto que tens à tua disposição. E, para que isso fosse possível, abriste mão da privacidade, praticidade e funcionalidade que toda casa deveria ter. Tua casa tem uma manutenção caríssima.

Sim, mas posso pagar por ela.

Eu sei que podes. E por isso ficas tão inquieto quando pensas em diminuir o trabalho. O menino pobre alimenta preocupações infundadas. Ele teme perder o que o adulto lhe oferece. Ele acorda no meio da noite e, desprovido de lucidez, sofre com pensamentos opressivos, perde o sono e a paz. Um medo recorrente. Medo de perder tudo e voltar a ser pobre.

Tens razão. Costumo acordar no meio da noite e ser visitado exatamente por esse medo. De perder tudo, de não ter condições de manter meu patrimônio. Sei que é uma preocupação infundada, mas não consigo me livrar dela.

Os motivos inconscientes são capazes de provocar muitos conflitos. E a noite te desprotege. Todos os fantasmas que se alojam no inconsciente se libertam com a escuridão.

Ter uma casa de vidro não significa necessariamente que a pessoa queira tornar públicas suas conquistas materiais.

Eu sei, mas no teu caso é. Aliás, há muito tempo que andas gastando teus dias, tuas energias, para mostrar aos outros o resultado material de tuas conquistas. Esse viver para os outros desgasta. O ter não é livre. Está amordaçado pela insaciável sede de receber dos outros admiração. E então tuas escolhas são feitas a partir da sede. E nisso está a gênese dos teus conflitos.

E eu não percebia até então esse conflito. Identificava o meu prazer em mostrar o que tenho aos outros, mas não era capaz de perceber que esse prazer nascia de uma carência não curada, imposição emocional de um menino pobre que alimento sem perceber que o faço.

Desconhecias esse fato porque estavas adormecido, letárgico, respondendo mecanicamente aos estímulos do menino pobre. Levaste tempo para reconhecer-te conflitado pois há muito não vivias um enfrentamento.

Deixei de incluir na minha vida um cultivo pessoal. Tens razão em tantas coisas que dizes. Ou melhor, tens razão em tudo o que disseste até agora. Minha esposa já tentou muitas vezes me alertar, mas sinto que ela também está mergulhada no mesmo dilema. É possível que eu tenha contribuído para isso. Quando deixamos de estimular em nós o enfrentamento, é natural que também não o motivemos nos outros.

Só podemos oferecer o que temos. Se escolhes viver a busca da verdade, se optas por trilhar o caminho do discernimento, da via que te permite o fascinante processo de conhecer-te, certamente desfrutarias do dom de nos outros despertar o mesmo. Quando uma pessoa prova verdadeiramente a sua realização pessoal, quando toca sem receios o desvelamento de seu mistério, ela se torna uma promotora da realização dos outros. Mas quando ela se limita ao cárcere do desconhecimento, ela certamente não será capaz de despertar as consciências adormecidas que estão ao seu redor.

E como nossos círculos de relacionamentos são pobres nesse sentido! São vazias nossas relações. Raramente encontramos alguém que nos ofereça uma boa conversa, um encontro que nos enriqueça porque nos faz pensar, sair do senso comum.

São as consequências da civilização do espetáculo. Há uma escassez de fecundidade nas relações humanas. Todos sentem o desconforto, mas muito poucos reconhecem que a saudável administração do desconforto só será possível aos que andarem os caminhos de dentro. Os encontros sociais que frequentas em nada favorecem andar os caminhos de dentro.

Sim, porque os interesses são outros.

Grande parte das pessoas que frequenta os mesmos ambientes que ti estão movidas por interesses semelhantes aos teus. Também elas necessitam dar alento às suas inferioridades veladas. Também elas carregam meninos e meninas feridos que fazem exigências estúpidas aos adultos que são. A futilidade é um resultado construído por muitos. A sede dos egos impulsiona a mão de obra escrava. O salão frequentado por adultos elegantes, bem-vestidos e perfumados está repleto de escravidão emocional. Homens e mulheres aparentemente maduros, mas vítimas de suas ignorâncias, de suas imaturidades afetivas, de desordens inconscientes que os privam de dar ordem de comando aos processos que os tornam servis, mesquinhos, injustos consigo, pois privam-nos do deleite que a vida pode oferecer, da grata satisfação, talvez a maior de todas, que seria repousar a cabeça no travesseiro e saberem que estão sendo quem realmente deveriam ser.

Vontade de sair daqui e encontrar muitos deles. Sei que estão necessitados disso que estou vivendo aqui.

Muitos necessitam. Tem sido cada vez mais difícil encontrar um lugar no mundo que permita a intimidade.

Estou árido. Fiquei muito tempo distante de mim. Esta conversa é como receber uma chuva sobre a terra seca. Longos anos de estiagem, secura, poeira.

O homem permanece deitado no chão. Está à vontade como nunca estivera. Ele abre os braços. É bom estar ali. Os braços abertos e as pernas esticadas lhe recordam o Cristo crucificado que tinha sobre a cabeceira de sua cama quando era criança. Sua mãe tinha o hábito de rezar com ele todas as noites antes de dormir. "Com Deus me deito, com Deus me levanto, na graça de Deus e do Espírito Santo!" A memória puxou o cordão das palavras. Ele nunca mais tinha se recordado daquele ritual que a mãe lhe permitia viver. A oração rompeu a dura laje do esquecimento, e agora ele repete vagarosamente a jaculatória inúmeras vezes. A oração que deixou de ser, pois agora é mera repetição saudosa, o conduz por um caminho iluminado que há em si. Um caminho místico que estava esquecido. Ele deixou de ser religioso. Há muito não frequenta a igreja. Mas o que visita agora é um fruto antigo que ele não sabe precisar de onde nasceu. Um fruto que reconhece dele, como se fosse um tesouro até então desconhecido, resguardado. Ele se sabe protegido. E não é a oração que o protege, mas a memória que ela desperta. Ela apenas acordou a convicção que já existia. Ele se sabe acompanhado. Mas não sabe precisar o que o acompanha. A dimensão espiritual da vida derrama sobre o seu corpo um bem-estar afetivo exatamente igual ao que sentia nas noites frias, quando, ao término da oração, a mãe lhe beijava o rosto e realizava o gesto de amoldar o cobertor ao formato de seu corpo. O aconchego que ele experimentava naquela hora era exatamente o mesmo que agora vivencia. Esticado sobre o chão do quarto, o homem desfruta de uma satisfação antiga. De olhos fechados ele sente as mãos delicadas de sua mãe ajeitando o cobertor em seu corpo adulto. A manhã fria de hoje o alinha às noites frias do passado. Ele está dentro de um ritual que une os tempos. Passado e presente envolvem o seu corpo. Tudo nele reza, ainda que não saiba disso. Afinal, a oração é um movimento da alma que ultrapassa o tempo, e só fala profundamente quando dialoga com as vozes do silêncio.

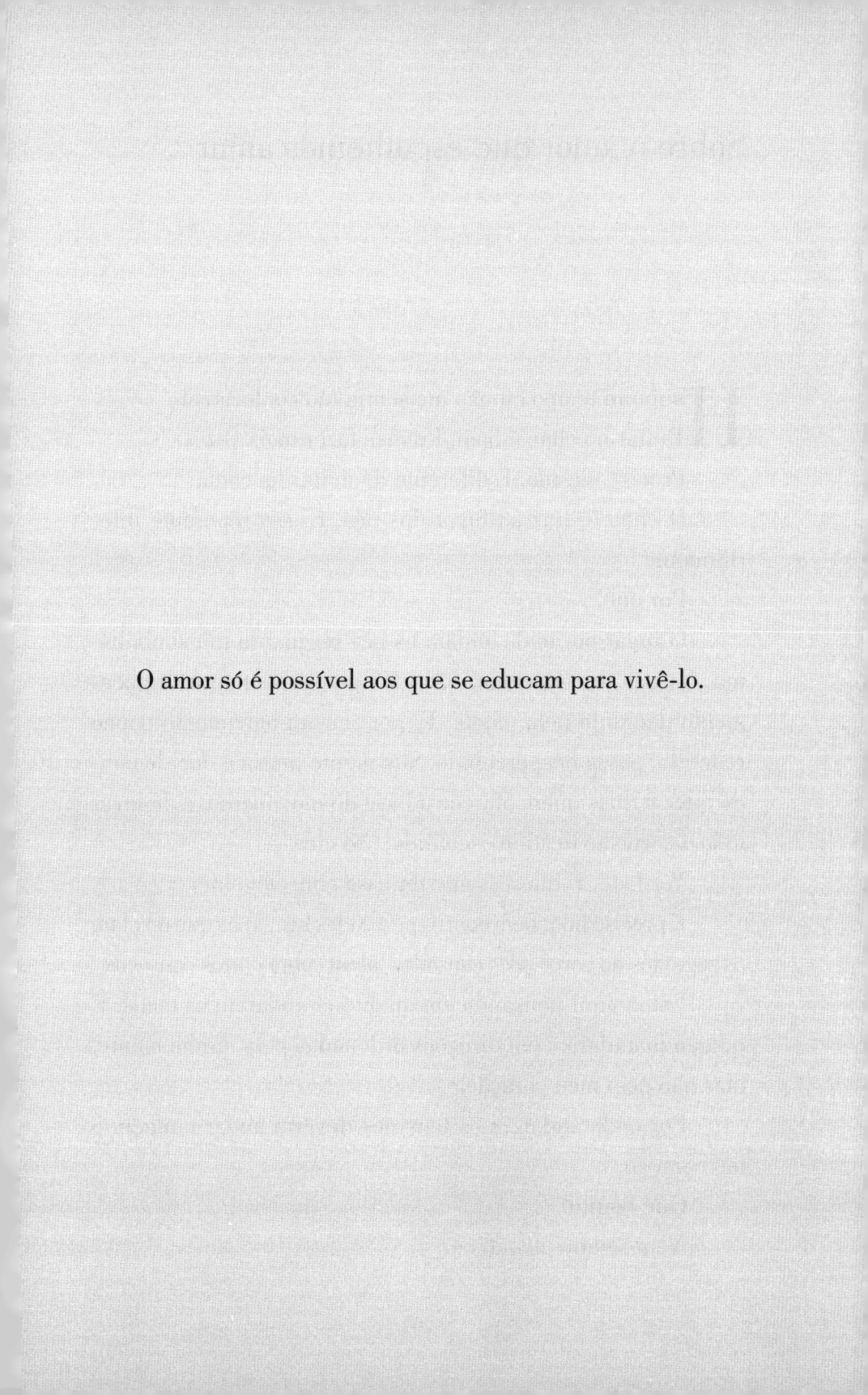

O amor só é possível aos que se educam para vivê-lo.

Sobre o amor que escolhemos amar

Há muito tempo eu não me sentia tão confortável. Deitar no chão é bom. Precisa fazer mais vezes.

Preciso mesmo. É diferente de deitar na cama.

O chão te traz ao lugar dos pés. E isso repercute interiormente.

Por quê?

O lugar por onde andam os pés resguarda um simbolismo. Os pés te conduzem. São eles que executam o deslocamento decidido pela mente. E, por ser um movimento pouco refletido, passa despercebido. Sua mente pensa e decide aonde quer ir, mas quem oferece a base do movimento, e de levar todo o corpo ao destino escolhido, são eles.

Verdade. É interessante ter essa consciência.

É preciso lidar bem com os pés. Neles há mapas que revelam os segredos do corpo. Pés cansados falam sobre outros cansaços.

Estou aqui pensando em quanto já andaram os meus. E quanto já andaram em direções ordenadas pela minha mente, mas não pelo meu coração.

Por onde andarem os teus pés deveria andar também o teu coração.

Que bonito!

Nem sempre acontece.

Não mesmo.

A mente deveria viver em harmonia com o coração. Lembra do que falávamos? O coração é a metáfora da consciência, o lugar mais preservado do ser, o que permanece sempre imaculado, porque é o tabernáculo onde a verdade pessoal permanece preservada.

Sim, eu me lembro. Ao longo da vida fui confundindo coração com emoção, ou melhor, pensando que os pedidos do coração são descabidos, porque nem sempre estão tocados pela racionalidade.

Pelo contrário. O coração é a expressão da lucidez, pois harmoniza razão e emoção. As decisões mais sábias são as que não foram feitas nos extremos. Ou só pela racionalidade, ou só pela emoção. É por isso que a última palavra deveria ser sempre da consciência. Quando é educada para não se ausentar, isto é, quando o ser humano cresce aprendendo a lidar com a sua consciência, ele será naturalmente regido por ela.

Educar a consciência para que não se ausente de nós.

Gostou da expressão?

Muito.

Tudo no humano precisa ser educado. Até o exercício do amor.

Mas o amor não é o gesto mais natural que temos?

Não. O amor também precisa ser submetido à educação.

Como assim?

Nem sempre é amor. A pessoa acha que ama. Mas não. Às vezes é mera sede de si, busca desenfreada de receber do outro o que ela mesma deveria oferecer a si.

É, tens razão.

Egoísmo sob o disfarce do amor. Finge que ama, mas no fundo é mera projeção sobre o outro, exigindo dele uma complementação que não é justo ser exigida.

Mas o amor não é complementação do que nos falta?

Sim, mas requer ter oferecido a si mesmo antes de solicitar ao outro. Antes de receber amor é preciso dar-se. Um dever que se antecipa ao encontro. Como a casa que precisa de alicerces para que depois subam as paredes. É muito comum ver pessoas solicitando de outras os alicerces, e não as paredes. E isso é uma cruel imposição emocional. Colocar sobre outros a responsabilidade que não cabe exigir.

Reconheces essa crueldade em mim?

Ninguém está livre dos embustes do amor. Nem sempre as pessoas se encorajam a retirar os mantos que envolvem o sentimento. E então seguem alheias aos reais motivos que as movem. O amor pode ser por necessidade, mas também por valor.

Não entendi.

É simples. O amor por necessidade é uma antessala do amor por valor. Às vezes o que chamam de amor nem chega a ser amor, pois passa por interesses, desejo de reconhecimento, tudo porque há uma carência gritando na alma, uma necessidade imensa de reconhecimento, atenção. A pessoa até pensa que ama, mas no fundo está movida pelo interesse de receber de volta o que gratuitamente deveria oferecer. Ou então ama porque quer ser vista amando. Faz caridade porque necessita ser reconhecida como alguém capaz de gestos amorosos, altruístas. Os gestos exteriores, públicos, são necessários. A pessoa faz propaganda de si. Faz questão de que todos saibam quanto ela se doou.

E isso não é justo?

Não estou fazendo juízo de valor. Estou apenas diferenciando o amor por necessidade e o amor por valor. O gesto de caridade atingiu eficazmente somente a pessoa que recebeu. A pessoa que fez, por estar movida por interesses escusos, inconscientes, deixou de crescer com o gesto que realizou. Ela se limitou a roçar a pele de sua alma. O gesto não repercute, e muito em breve ela precisará cavar nova oportunidade de reconhecimento público. Sempre a partir da caridade. Se fizesse somente pela gratuidade, certamente levaria por muito tempo em si os desdobramentos positivos de sua doação. E a repetição não seria vazia.

E como seria o amor por valor?

É justamente o que estou falando, quando a pessoa faz sem esperar nada em troca. Ama porque reconhece o valor intrínseco do amor que ama. A caridade que realiza não é para que os outros vejam, mas para consertar aquela parte do mundo que lhe coube ver de perto. No amor por valor a pessoa não necessita publicar o que faz. Ela não instrumentaliza suas ações amorosas, com o intuito de que elas lhe tragam notoriedade, reconhecimento, afeto. O amor por valor não faz propaganda de si. O resultado positivo que dele se desdobra é íntimo, particular. Nunca para os outros verem, mas sempre para retroalimentar a capacidade de alcançar, cada vez mais, o cerne do amor puro, desinteressado, cristalino, livre das ditaduras das carências emocionais.

Interessante.

Mas voltemos à crueldade revestida de amor. Já paraste para pensar que há proteções que desprotegem?

Não, nunca pensei.

Pois há. Podes incorrer facilmente no erro de achares que estás protegendo, mas na verdade estás deixando o outro ao relento de seus fantasmas.

Explique-me melhor.

Também parece ser amor quando revestes o teu filho de cuidados para que ele termine o curso de Medicina.

E é, faço tudo para que ele realize o sonho dele.

Dele ou teu?

Dele, claro!

Teu filho já manifestou algumas vezes a indisposição com a Medicina. Em alguns momentos a crise foi aguda. E mesmo assim nunca levaste a sério o desconforto dele.

Foram crises da idade. Apenas contribuí para que ele não perdesse o foco.

Ele pediu para desistir e tu não deixaste.

Ele estava perdido.

Ou encontrado.

Depende de como preferes enxergar. Eu sabia que ele estava perdido.

Não, ele estava encontrado. Era o terceiro ano da faculdade, e ele estava firmemente convicto de que queria desistir do curso e estudar publicidade.

O que seria uma loucura.

Aos teus olhos uma loucura, aos olhos dele uma libertação.

Ele quer ser médico.

Não, tu queres que ele seja. Ele só continuou o curso porque não foi suficientemente forte para te enfrentar. Também ele tem um menino carente que teme perder a admiração do pai. Se tivesses demonstrado respeito às inadequações que ele havia descoberto ao longo do curso, ele certamente teria vivido o enfrentamento. Mas tu não escutaste o que ele dizia naquela hora em que ele se encorajou a dizer. Era como se não fossem importantes os sentimentos que ele nervosamente expressava.

Sempre ouvi o que ele tem a dizer.

Mas ele não aprendeu a dizer. E tu és o grande responsável pela incapacidade dele em dizer o que realmente sente.

Não entendi. Sou responsável por ele não saber dizer?

Sim, colocaste nele um empecilho à verdade. Desde menino tinhas o estranho hábito de completar as frases dele. Numa demonstração de impaciência, completavas tudo o que ele tentava dizer. Mas nem sempre acertavas no que completavas. E ele, movido pelo medo, permitia a complementação equivocada.

Ele sempre foi lento para transformar em palavra o que pensava.

E foi ficando cada vez pior. Quanto mais ele temia te desapontar, mais lento ele ficava. Temia dizer qualquer coisa que pudesse retirá-lo de tua predileção.

Lamento se realmente fiz isso.

Fizeste. Na tua relação com ele sempre o viste como alguém incapaz de completar as frases sozinho. E assim passaste a pensá-lo como um ser inseguro e imaturo. E então passaste a ouvir não o que ele dizia, mas o que inconscientemente gostarias que ele dissesse, o que corroboraria o que compreendes como melhor para ele. Naquele dia, pela primeira vez na vida, ele não aceitou o teu complemento. Ele discordou, rebateu. Foi um acontecimento raro na vida dele. Finalmente conseguiu dizer o que estava há muito preso dentro dele. Mas tu não o ouviste.

Claro que ouvi!

E o que ele disse?

Um monte de bobagem. Coisas que depois ele acabou percebendo sozinho.

Não, nada daquilo era bobagem. O teu filho se despiu emocionalmente diante dos teus olhos, falou com sinceridade que não estava feliz, que o curso não o realizava, e que estava certo de que não deveria insistir. Ele se despiu, levou tempo para se encorajar para viver aquele momento, mas tu não quiseste perceber o que com ele se passava, já que estavas muito mais preocupado com a tua decepção. O filho que tanto querias médico não seria mais. Mas tu o fizeste sentir-se envergonhado da nudez. Ao perceber que não tinhas disposição para o que dizia, ele desistiu, como sempre o fez. Respondeu exatamente como tu esperavas que ele respondesse, cedendo à tua opinião, permitindo que completasses a frase.

Mas o que eu poderia fazer naquela hora, aceitar a desistência dele, faltando menos da metade do curso para concluir a faculdade?

Não seria mais honesto devolver a ele o poder da decisão? Ou não seria mais sensato deixar de reforçar nele o que tanto achas que ele quer?

Mas depois ele ficou bem. Reencontrou-se no curso.

Ele não se reencontrou no curso, ele apenas voltou à adaptação imposta pela tua desproteção. Volte à questão com ele. Pergunte se ele desistiria hoje da Medicina, caso tu não te importasses.

Ele tem demonstrado apreço pela profissão. Tenho certeza de que será um médico muito competente.

Mas será feliz?

Não posso saber. A felicidade é uma junção de muitos fatores.

A escolha profissional pesa muito na junção. Não basta a competência técnica no exercício de um ofício. É preciso ter amor por aquilo que se faz. É o amor à profissão que faz com que a pessoa suporte as exigências do que faz. Sem amor tudo é fardo. E o tempo se encarregará de trazer a fatura.

De novo o tempo. De novo a fatura.

Sim, de novo o tempo, o senhor de tudo.

Já me disseste tanta coisa hoje. No início discordei de tudo, mas depois fui percebendo uma coerência no que dizias sendo derramada sobre mim. Meu desejo é continuar dizendo que não errei com meu filho, mas vou me conceder o benefício da dúvida. Será que realmente o forcei a estudar o que ele nunca quis?

Muito sábio de tua parte recorrer ao benefício da dúvida. Colocar em questão o que julgas ser o certo pode ajudar na purificação da convicção. Ao submeteres a opinião à dúvida, podes reforçar o que já havia concluído ou então receber a oportunidade de reconhecer um equívoco.

Sim, faço muito isso na presidência da empresa.

Tu sabes bem que desde que o teu filho era criança tu o sugerias que ele fosse médico. Até brinquedos ligados à profissão davas a ele. Não te esqueças que as crianças tendem a ser muito vulneráveis emocionalmente. Assimilam inconscientemente comportamentos, gostos, condutas, tudo porque querem agradar aos que lhes são superiores. A criança anseia por ser aceita, amada, querida. Essa debilidade emocional pode lhe fazer assumir as expectativas daqueles de quem ela espera receber amor. É um grande risco. Na educação dos filhos, pais e mães costumam impor sobre eles suas expectativas. E também suas frustrações. Querem que os filhos sejam o que não puderam ser. E porque são frágeis e incapazes de viver o enfrentamento que lhes permitiria a autenticidade, submetem-se por longos anos, e às vezes por uma vida inteira, aos desejos e às exigências de seus genitores. E então se tornam o que não queriam, sacrificam a vida para que pais e mães fiquem satisfeitos e continuem os amando.

Meu Deus, como é difícil ter de admitir que eu possa ter cometido essa crueldade com ele.

O teu pai fez o mesmo contigo. A tua sorte foi teu tio ter te levado para morar na capital. Percebeu que tinhas uma capacidade acima da média e que não fazia sentido ficar na casa dos teus pais, sem estudos, trabalhando na padaria da família.

Sim, meu tio me viu como eu era, ou melhor, como quem eu poderia me tornar.

Teu pai só pensava em te passar o bastão. Queria que te tornasses o padeiro que manteria o pequeno negócio da família.

Naquela época não era problema tirar um filho da escola para que pudesse trabalhar e ajudar nas despesas de casa.

Sim, os estudos eram vistos como privilégio de crianças e jovens ricos.

Mas meu tio foi perspicaz. Pagou um ajudante para que meu pai me deixasse ir com ele.

E, mesmo com a promessa de que teria um ajudante em teu lugar, não queria que fosses embora.

Ele era muito apegado a mim.

Há o risco de, em nome do amor, interpretar o outro como uma extensão de si.

E meu pai me enxergava exatamente assim. Como uma extensão dele.

Não é justo. O outro é totalmente outro. É filho, mas é outro. Outros desejos, outro caráter, outras vontades, outra liberdade.

Mas não é nada fácil interpretar um filho assim como propões. A gente sempre tem a convicção de que sabe o que é melhor para ele.

Os erros que são cometidos por amor são naturalmente promovidos pela boa intenção. No fundo é uma pretensão. A de que sabes o que é melhor para o outro. Olhas para o que te satisfazes e naturalmente transferes o contexto de tuas satisfações para a criatura amada. E não dás a ela o direito de duvidar de tuas motivações. A senhora boa intenção te protege. E assim não te afliges.

Verdade. Acabo me escondendo na desculpa de que faço por amor. Se eu tivesse mais lucidez naquela hora, talvez não houvesse feito o que fiz.

A lucidez pode impedir o erro ou não. A liberdade é uma condição da vida humana. És livre para errar, mesmo consciente de que erras. Mas é o amor que tens pelo outro que vai te ponderar antes de decidir por ele algo que tu já sabes ser contrário à sua essência. É o amor que disciplina a prepotência. É ele que põe rédeas no desejo de instrumentalizar o outro como mecanismo de satisfação pessoal, como a extensão na qual se possa realizar o que não pôde realizar por si.

Um filho é uma grande responsabilidade. Por isso não queremos errar com eles.

Não errar significa aprisioná-los nas gaiolas de tuas expectativas, negando-lhes o direito de escolher um caminho que não passa pelo que consideras apropriado para eles?

Não, claro que não. O que fiz não foi consciente. Naquele momento eu só não queria negligenciar a responsabilidade de escolher pelo meu filho o que ele ainda não podia escolher sozinho.

Claro, muito sábio considerar isso. É direito do incapaz estar sob a autoridade que protege, que faz por ele o que sozinho não pode fazer. Essa regra é perfeitamente aplicável sobretudo no contexto moral. Cabe ao tutor oferecer o conforto emocional da presença, da decisão protetiva, do apoio que permite a sobrevivência social durante o tempo em que o ser tutorado ainda não possui os recursos necessários para bem viver. Mas naquele momento o teu filho já não era uma criança.

Mas pensei que ele estava agindo como se fosse.

O teu amor por ele não evoluiu. Não tiveste tempo de perceber que ele crescia, assumia responsabilidades, fazia amigos, namorava. Teus contatos com ele foram ficando cada vez mais escassos. E a estranheza criada pelo distanciamento foi definitiva para que durante aquela conversa não percebesses que estavas diante de um homem já crescido. Um homem com vontade, esclarecido, sabedor de que estava no lugar errado.

Eu o vejo tão pouco. Cada vez menos. Está sempre fora quando chego ou, quando saio, ele já foi. Ou nem voltou para casa. Aos finais de semana nunca organizamos uma agenda que nos coloque juntos.

O tempo não perdoa. A distância se alimenta de descuidos. E com o passar dos anos o vínculo se limita a ser um parentesco. Então o sangue deixa de causar familiaridade. Sabem-se biologicamente ligados, mas não se sentem emocionalmente vinculados. E então perde-se a autoridade afetiva, que é o movimento que faz com que o outro perceba que o amor existe e que aquela interferência não tem outro objetivo a não ser contribuir com sua realização pessoal.

Tens razão. Minha interferência naquele momento não fez com que meu filho se sentisse amado por mim. Impus minha expectativa. E só. Não escutei o que ele tinha a me dizer. Eu estava movido pelo desejo de que ele não desistisse do curso, que continuasse a realizar o sonho que eu pensava ser dele, mas que agora reconheço que era meu.

E ele, por não ter aprendido a arte do enfrentamento, cedeu, ainda que soubesse que viveria mais alguns anos de sacrifício, cursando uma faculdade que não o realiza.

Mas a vida não existe sem sacrifícios. Nesse aspecto é preciso reconhecer que eu não estava totalmente errado.

Encarei aquele desestímulo dele como um sofrimento que faz parte da vida de quem escolhe vencer.

Sim, toda escolha se desdobra em renúncias. O sofrimento é irrenunciável àquele que se dispõe a crescer, superar-se. Toda realização humana passa pelos seus crivos. Não é possível chegar a um resultado satisfatório sem antes ser submetido aos processos naturais que purgam. A questão não é essa. O que precisa ser analisado ultrapassa esse entendimento simplista. A pergunta que precisa ser feita está num andar abaixo do que costumas frequentar. O que realmente importa saber é se o sofrimento enfrentado é o sofrimento certo. Toda escolha se desdobra em demandas de dificuldades e desafios. Mas quando a pessoa vive demandas de escolhas que foram impostas por outros, o sofrimento perde a sua dimensão salutar, redentora, e passa a ser um fardo, um movimento infértil que mina e retira a qualidade da vida. Sofrer é inevitável. E só faz sentido sofrer no enfrentamento das questões que dizem respeito às escolhas que realizam e geram contentamento.

E o que achas que devo fazer? Permitir que ele deixe a faculdade e eu perca os anos de investimento?

Se a felicidade do teu filho valer menos que o investimento, não o faças. E assim continuarás participando desse martírio como seu algoz. Se achas que não podes perder o que insistes em manter até agora, terás de levar até o fim a responsabilidade de impor a ele o jugo desonesto de tua projeção. Mas se chegares à conclusão de que o prejuízo emocional do teu filho é infinitamente superior ao teu investimento financeiro, chame-o hoje mesmo e o alforrie da escravidão de estudar Medicina.

Meu Deus, tu estás acabando comigo! Em tão pouco tempo já me fizeste perceber que estou sendo um péssimo pai.

De vez em quando é preciso ouvir o contraponto. Estás confortavelmente amparado pelos que corroboram teus posicionamentos, pelos que cometem os mesmos erros, pelos que reforçam, sem perceber que o fazem, tua crueldade velada. Estou aqui para isso. Para que percebas teus erros. E sobre eles atues.

Verdade. Há caminhos que não encontramos sozinhos. Ainda que eles estejam bem diante dos olhos e dos pés, não os reconhecemos. Há muito que não tenho a oportunidade de desconstruir positivamente meus posicionamentos. E então deixo de perceber onde erro.

Perdes muito ao não seres confrontado. O poder gera uma solidão terrível. Os que te observam admirados nem imaginam o quanto te custa caro ser quem és.

Verdade.

Tem custado a alegria de um filho.

Ele paga por mim?

Paga contigo.

Não quero que seja assim.

Então recupera o amor.

Eu o amo.

Mas é preciso deixar de amar por necessidade.

Amar por valor?

É a única maneira de deixar de compreendê-lo como um objeto que pode ser manipulado.

Nunca imaginei que fosse concordar com esse absurdo.

Percebes o egoísmo que está em ti?

Assim como percebo a luz do dia.

Deixa que ele seja livre.

Hoje mesmo ele receberá de mim o que há muito eu deixei de oferecer.

Vai fazer bem aos dois. Quando movido pela gratuidade valorosa, quem oferece recebe tanto quanto quem recebe. Ou até mais. Depende de quanto o oferecimento esteja motivado pela gratuidade.

Será assim.

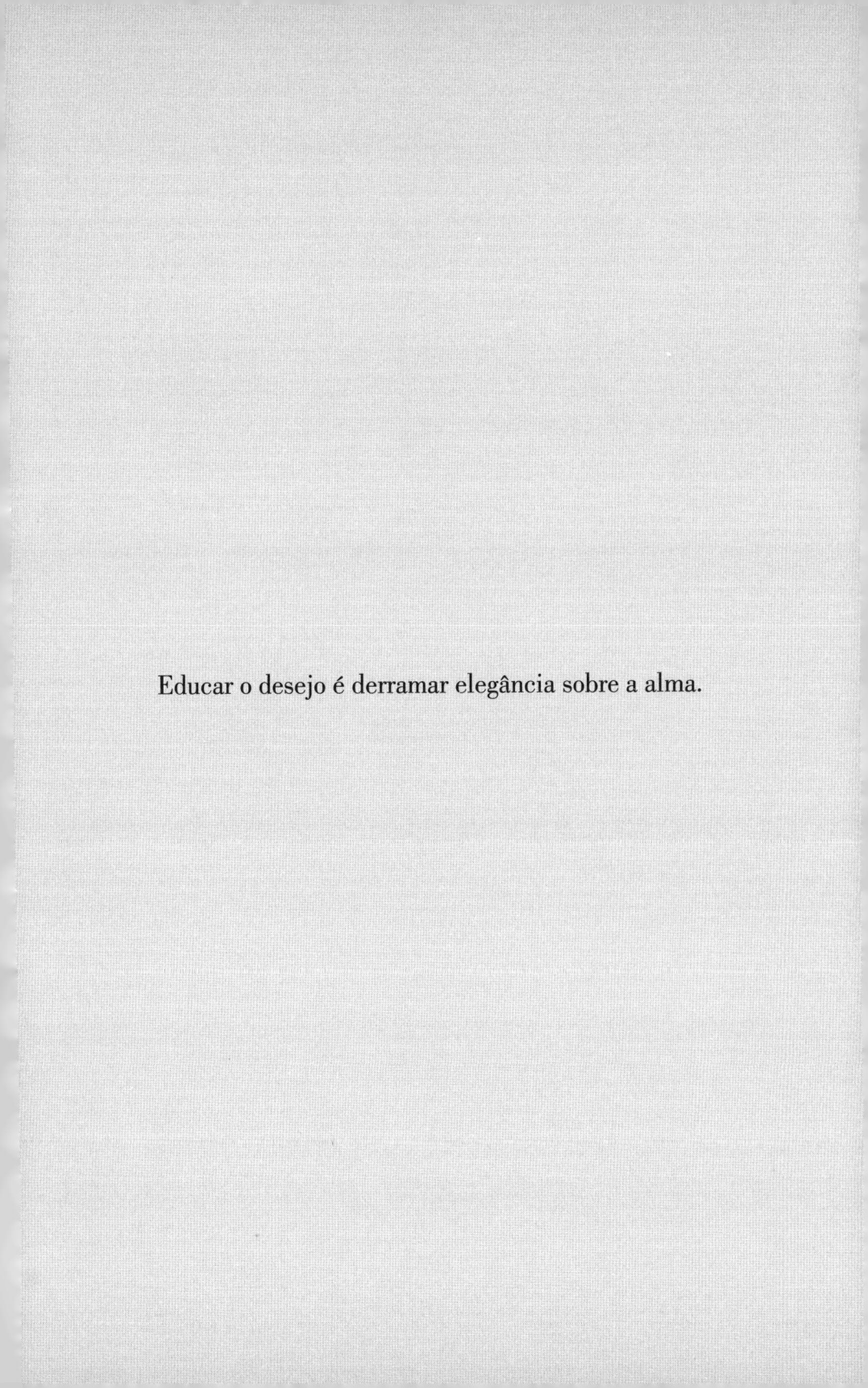

Educar o desejo é derramar elegância sobre a alma.

Sobre educar o desejo

Um longo tempo de silêncio se estendeu entre eles. O homem continua imerso no que acabara de descobrir. E nele não há angústia. A maneira como foi conduzido à verdade não lhe outorgou culpas ou remorsos. Apenas uma tristeza percorre o seu corpo. É físico o que sente. Pelas mãos do sentimento, caminha em si. Ele é o pedagogo que agora lhe permite acessar o aprendizado do vivido com o filho. Por isso a culpa não impera, ainda que ele tenha motivos para sentir-se culpado. Quando a verdade chega pelo caminho certo, ela acerta o alvo. E nele há uma convicção. Não é tarde para reorientar sua paternidade. O filho receberá sua melhor parte. Não faz sentido ser um homem bem-sucedido profissionalmente se vier a fracassar como pai. A tristeza lhe permite visitar o amor. Tornar-se cônscio do erro cometido com alguém a quem se ama faz mensurar o amor sentido. Tudo o que ele não quer é voltar a errar tão grosseiramente com o filho que trouxe ao mundo. As lágrimas retornam. Mansas, sem angústia, cheias de arrependimento e propósito. A vida precisa ser diferente. Não faz sentido trabalhar para poder comprar o metro quadrado mais caro do mundo e perder, por descuido e negligência afetiva, o coração de um filho. Não é possível mais adiar as decisões. Considerando que poucas pessoas ultrapassam os

100 anos, ele já passou da metade da vida. É preciso escolher melhor o que pretende fazer com o tempo que lhe resta. Continuará trabalhando, cumprindo bem o seu ofício, mas interferirá radicalmente nas permissões que faz na devastação de sua intimidade. Estabelecerá nova relação com as tecnologias que o dispersam e com as pessoas que quebram diuturnamente o seu tempo de descanso. Fará um caminho de volta. Ouvirá o que sua esposa tanto lhe recomenda. A vida saudável, as folgas a que tem direito, mas que por ambição nunca tira. Ele sabe que pode reduzir sua carga de trabalho sem que isso interfira em sua atuação na empresa. Estará mais presente na vida dos filhos. Fará questão de estar presente nos eventos aos quais só a esposa comparece. Há muito ele não prestigia as vitórias e as conquistas deles. Retornará mais cedo para casa. Ele sabe que pode fazer. Gasta tempo demais no escritório justamente porque tem o péssimo hábito de antecipar o que pode perfeitamente esperar. O homem inspira profundamente. E solta vagarosamente o ar. Repete o movimento várias vezes. A respiração pensada o acalma ainda mais. Sente o corpo leve, como se flutuasse. A sensação que lhe ocorre é a de que está sendo conduzido por um rio translúcido, bonito, como o que sempre o encantou quando era menino, na cidade em que nasceu. As águas o conduzem e são frias. Um frio bom, capaz de adormecer as pressas que o assanhavam logo quando acordou. De olhos fechados, como se não quisesse quebrar o encantamento daquele instante, ele recomeça a conversa:

O certo é tão óbvio. Por que é tão difícil de fazê-lo?

Porque é preciso desejá-lo antes de fazê-lo.

E por que não o desejamos?

Porque, assim como o amor, o desejo também precisa ser educado.

E quem pode nos educar o desejo?

Os que te influenciam. Quanto mais cedo se inicia o aprendizado, melhor. Um desejo educado favorece muito no processo das escolhas.

É preciso inteligência nas escolhas.

Mais sabedoria do que inteligência.

Elas não andam juntas?

Nem sempre. A inteligência atua mais na capacidade de armazenar informações.

E a sabedoria?

Na arte de arregimentar favoravelmente as informações que se possuem.

Interessante.

A sabedoria põe as informações na dinâmica da vida.

Eu me lembrei de um amigo que tenho. É muito inteligente, mas é um desastre na vida pessoal. Fez escolhas terríveis.

A sabedoria não se limita ao exercício da razão. Por ser de natureza intuitiva, transita muito naturalmente no mundo dos sentimentos. E por isso acaba facilitando a vida emocional. A pessoa que goza de sabedoria conhece melhor os tortuosos e fascinantes caminhos do coração.

Minha mãe era assim. Embora não tenha tido a oportunidade de estudar, tinha uma sabedoria invejável na lida com a vida.

Ela não acumulou conhecimentos porque não lhe foi dada a oportunidade de passar pela escolarização formal, mas usou da inteligência para prestar atenção no mundo. E tudo o que viu, vivenciou e aprendeu transformou em sabedoria, intuição que lhe permitia acessar o coração das realidades.

Sim, ela era especialista em ler as pessoas. Num curto espaço de tempo ela já era capaz de perceber com perspicácia aquele que estava diante dela. E tinha sempre um conselho sábio a quem pedisse.

Ela certamente passou pela educação do desejo.

Com certeza. E fez isso até o fim. Em sua mesa de cabeceira sempre havia um livro. Estava sempre lendo alguma coisa.

Certamente isso fez toda a diferença na construção de sua sabedoria. A busca pelo conhecimento caminha ao lado da educação do desejo.

Ela trabalhava na padaria com meu pai. Era a responsável pelo atendimento no balcão, mas nunca deixava de ter o seu momento pessoal antes de começar o trabalho. Eu me lembro. Era sempre da mesma forma. Ela acordava de madrugada, preparava nosso café e depois se refugiava num quartinho onde ela tinha um oratório com algumas imagens. Era sagrado. Nunca quebrava aquela rotina.

Rotina que ela cumpriu religiosamente até o fim da vida. A educação do desejo não é possível sem o empenho diário. E quanto mais educado está o desejo, muito mais ele quer se educar. Tua mãe evoluiu como pessoa a partir da educação do desejo.

Estou certo que sim. Era muito dedicada a todos nós, mas não abria mão de seu rito diário. Ficava exatamente meia hora. Somente depois ela assumia o trabalho na padaria.

Antes de assumir a rotina prática, tua mãe buscava espiritualizar o corpo. Ritual que restituía as energias perdidas. Espiritualidade é energia, sopro energético que reorienta a respiração, que consequentemente se desdobra em bem-estar que envolve todo o corpo.

Ouvi falar que as pessoas deixam de respirar corretamente com o tempo.

Sim. Uma criança nasce fazendo o movimento correto. Mas em algum momento da vida a ansiedade altera o que antes era natural. Quanto mais ansiosa, mais curto é o movimento da respiração da pessoa. A consciência corporal é muito importante para uma vida saudável.

Mas na pressa em que vivemos nem damos atenção a essas coisas.

E não é curioso que o ser humano se torne desconhecido de si mesmo?

Muito.

A vida sem reflexão começa na experiência que ele faz do corpo. Subjugado a um mundo de exigências e repleto de urgências, o ser humano deixa de ouvir a voz de sua casa. O corpo é a casa do ser. É no corpo que o ser, essa dimensão espiritual capaz de transcender, criar e dar significados à realidade, habita. O ser é no corpo e com o corpo. Mas quando a pessoa se desabitua de ouvir a voz do corpo, ela passa a impor sobre ele uma carga física e emocional que o mata antes da hora.

Não acreditas em destino?

Não, acredito em escolhas. Delas nascem as repercussões. E as repercussões fazem viver ou morrer.

É mais sensato acreditar assim. Caso contrário teríamos que pensar num ser superior que determina o início e o fim da vida e que nada pode interferir no que foi por ele prescrito.

Se acreditas em Deus, coloca-o à frente e ao final da vida. Compreende o sopro original como um dom e o final como um acolhimento. Deus no antes e no fim. Mas o que fazes entre um sopro e outro são escolhas que te cabem.

Faz sentido.

O desejo interfere nessas escolhas. É a partir dele que o ser humano seleciona o que e como pretende viver. Ele é a pulsão original, a fonte de onde brotam as atitudes.

Por isso é tão importante educá-lo. Para que as escolhas sejam boas, sensatas.

Justamente. Ao desejar o que é nobre, elevado, belo e justo, o ser humano elimina naturalmente elementos nocivos à sua vida. Em todos os aspectos. Físico, emocional, espiritual, moral. O desejo educado não procura pelas realidades e situações que geram morte e mal-estar.

Eu me lembrei daquele trecho bíblico que recomenda buscar as coisas do alto.

É uma proposta interessante que aqui se aplica. Quando pensas sobre as coisas do alto, é natural que tua mente se encaminhe aos valores que qualificam a vida humana. Valores universais.

Sim, que em qualquer parte do mundo serão bem-vindos.

É a vivência de valores universais que torna a vida em sociedade uma aventura possível. Eles são os estatutos que toda pessoa traz inscritos na alma.

Já nascemos com eles.

Já, pois pertencem aos conteúdos que estão sob a tutoria da consciência.

Mas por que nem todos são capazes de vivê-los?

Porque é preciso torná-los conhecidos. É necessário que haja alguém que se responsabilize por partejar aquilo que já está em estado de semente no íntimo de cada pessoa.

A necessidade da intermediação.

Os valores são sempre intermediados. Alguém os desperta naquele que os hospeda. É preciso fazer vir à luz, retirar da condição de tesouro meramente guardado para que se torne tesouro aplicado. É como teus relógios. Não basta ter. É preciso usá-los.

O homem sorri. A menina também. Os relógios desencadearam a vivência do momento de que agora desfrutam. Num primeiro instante foi causa de contenda entre eles. O sorriso de agora denuncia pleno acordo. Antes estavam em tempos diferentes. Agora, não. Estão acertados num mesmo tempo, num mesmo pensamento, num sentir comum.

Vou usá-los mais.

É só perder o medo de perdê-los.

Verdade.

Tão logo o ser humano experimenta os benefícios de uma vida virtuosa, inicia-se nele uma busca que nunca terá fim, porque os valores são bens inesgotáveis. E, diferente da matéria que entulha, ocupa espaços e encarece a vida, os valores alargam os espaços, criam disposição interior ao outro, abrem janelas para que o seu conquistador viva inebriado pela vida.

A matéria pesa muito mais do que imaginamos.

A matéria só não pesa quando aquele que a possui está espiritualizado. Caso contrário ela se transforma em fonte de prazer temporário, tornando-se um fardo com o tempo.

É o que refletiu Nélida Piñon. Com quem ficarão as coisas?

Exatamente. À medida que as pessoas se encaminham para o fim da vida, as preocupações deveriam ser outras. Mas é o modo como vivem que determinará a maneira como morrerão. Se viveram sob o fardo das coisas, é bem provável que morram sufocadas pelo mesmo fardo. Mas se optaram pela leveza, pelo desprendimento, é provável que se despeçam da vida cheias de gratidão.

Mas nem sempre essa gratidão acontece. Já vi muitas pessoas partirem sem que se reconciliassem com a vida vivida.

É muito comum. A falta de perdão é a grande responsável por isso.

É verdade.

É preciso perdoar-se diariamente. A partir do autoperdão torna-se possível perdoar também o outro. E, depois, perdoa--se a vida.

Perdoar a vida?

É uma forma de dizer. É apenas um jeito de pinçar no cesto dos perdões necessários o que diz respeito às expectativas frustradas. Há os que idealizam demais a realidade. Submetem-se a metas inalcançáveis e passam um longo período da vida insistindo em suas realizações, ainda que já tenham indicativo de que estão equivocados. Desconsideram os sinais, ignoram a voz interior que lhes indica que estão no caminho errado, até que descobrem que são metas descabidas, porque contemplam pessoas e situações que não lhes é de direito controlar nem tampouco impor-lhes suas metas. E então vem a frustração. E dela nasce o rancor, o ressentimento com o fato de que a vida não aconteceu como esperavam.

E esse rancor ofusca a possibilidade de ver o que ainda pode ser vivido.

Ofusca. Estando sob a égide do rancor, o ser humano se indispõe consigo. Passa a ser o inimigo íntimo que destila diariamente doses homeopáticas de veneno emocional em si. O rancor é doentio, pois amarra a vida. Estando sob suas ordens, o ser que o experimenta fica privado de viver a dinâmica da gratidão, que é a porta de entrada para o novo. As grandes transformações só são possíveis depois que o coração se liberta dos rancores e se enche de gratidão. É o ciclo do perdão. A frustração é mergulhada nas águas frutuosas da reconciliação. E assim a alma se rende, agradecida.

É como me sinto agora. Agradecido. Por teres vindo me visitar, por ter sido açoitado por tuas palavras, por não ter fugido do desconforto que elas me trouxeram e por ter me perdoado pela vida de erros que assumi sem perceber.

E agora é pensar que a vida não te deve nada.

Não, definitivamente a vida não me deve nada.

Nem deves a ela.

Sim, não devo nada.

O que deves é a ti e aos teus. Mas sabes que a restituição não é possível. O passado está ancorado e não pode mais ser alterado. Mas o que podes é dar à luz um novo ser. O ser que há em ti enquanto potência, semente que pode florescer se for fielmente cultivada. E então viverás com eles um novo tempo. Recomeçarás sem culpas, mágoas, ressentimentos, porque estás movido pelo amor que tens por ti e por eles. E também porque sabes merecer o melhor de tudo.

Sim, eu mereço os benefícios da minha mudança.

Não compreenderás a mudança de teus hábitos como uma imposição desagradável que te foi dada por outros. Lidarás com ela sabendo que tu mesmo a quiseste, porque percebeste que só ela, somente ela, é capaz de curar o menino que te faz escravo.

Já estava esquecendo dele.

Com o tempo poderás esquecê-lo. Por ora, não. Ele é um intruso que precisa ser expulso pacientemente.

E restará outro no lugar?

Sim, o menino sem traumas. O que traumatizado permanece estrangulado. O que perdeu a voz, a vez, porque o outro é constantemente alimentado.

Gostei dessa história de ter muita gente dentro de mim.

É didático olhar-te assim. Facilita ver e pensar as idades da vida. Todas elas estão em ti. Com suas características, alegrias e sofrimentos. De vez em quando é interessante colocá-las numa mesma sala de estar e motivar a conversa.

Elas precisam se entender. Caso contrário, a fase atual vive sob os desmandos das passadas. Há muitos desajustes entre elas. Dos desajustes nascem as dores emocionais. Cada fase precisa de curas específicas. A terapia não é outra coisa senão a cura daquilo que nelas está doente. É por isso que todo processo terapêutico consiste em retornar num tempo que já não é cronológico, porque finalizado, mas que ainda continua despertando consequências no tempo presente. No hoje da vida o ser humano ainda permanece vulnerável às ordens ocultas das idades que nunca terminam.

    E tu, quem és?

    Já não importa dizer.

    Por que não?

    Porque a voz que escutas já não está de fora.

O homem abre os olhos. Mas não os retira do teto. A visão periférica lhe permite perceber que o quarto continua polvilhado com a luz delicada da manhã. Ele não sabe precisar por quanto tempo esteve ali. A sensação que tem é de que uma eternidade o separa do momento em que se surpreendeu com a presença da menina. A rotina desfeita não o incomoda. Fato inédito para alguém que há anos submete-se a um modelo espartano de vida profissional. O corpo desfruta de um torpor que o protege de toda e qualquer ansiedade. Tudo nele repousa, como um lago que recobra a calmaria depois de intensa tempestade. A vida acomoda nele as suas estações. O rio fluido do tempo encarrega-se de colocar cada coisa em seu lugar. A desordem de antes recebeu o movimento delicado das palavras. Os desassossegos da alma foram recebidos, ouvidos e encaminhados. A palavra abriu fendas, mas também fez suturas. Cumpriu o ofício de terapeuticamente despertar as idades adormecidas, retirando delas o que precisava ser dito, o sofrimento passado que inconscientemente dava ordens ao presente. No homem repousam as decisões realizadas pelo tribunal que nele havia se erguido. Sim, ele fora todos os personagens. Em breve, a sentença promulgada receberá o sopro do encaminhamento. O que antes jazia sob o disfarce da arrogância agora é quarado pelo sol da humildade. Ele se sabe pequeno, impotente, insuficiente. Mas também sabe que possui o suficiente para exercer a liderança sobre si. Sem pretensões, sem os vícios do pragmatismo, recolherá dia a dia cada regra reencontrada depois de tantos anos de reprodução de um cotidiano duro, cruel, desprovido de transcendência. O homem e o tempo. O tempo que não mais tem, mas também o tempo que pretende ter. Uma reconciliação necessária com o conceito de riqueza. Ser rico é ter tempo. Nada mais. Ainda que na escassez de recursos, ter tempo. E escolher ter mais tempo à medida que o fim se aproximar. Conceder aos pés um andar que permita a contemplação. Fazer do lugar um caminho. E do caminho um lugar. Estar inteiro onde estiver, e nunca esquartejado pela ansiedade. Desaprender de multiplicar-se, de estar com muitos ao mesmo tempo, conceder-se horas de dedicação exclusiva aos seus e com eles desfrutar o metro quadrado mais caro do mundo: o sofá onde todos cabem e se ajeitam.

***

Posso fazer uma última pergunta?

Sua voz está sozinha. Ninguém responde. Ele vira a cabeça e o canto onde até então a menina ficava está vazio. De súbito se levanta. Sente o corpo doído como se tivesse se exercitado muito. Mas na alma nenhuma dor. Um estado de plenitude e satisfação. Procura a menina pelo quarto, mas não a encontra. Vai até a porta e percebe que está trancada por dentro. Ela não teria como ter saído se a porta permanece trancada. Quer chamar, mas não sabe a quem. Nem o nome dela ele perguntou. Fecha os olhos e afirma a si mesmo que não está louco. Até aquele momento esteve acompanhado de uma menina em seu quarto e com ela teve a conversa que certamente mudaria sua vida. Tentou recobrar o momento em que a viu e percebe que não lhe ocorreu estranheza tê-la ali. Uma criança invadindo o seu quarto seria motivo para chamar as funcionárias que estavam nos andares inferiores da casa, telefonar para a esposa, dizer que tinha uma menina no lugar mais íntimo da casa ou até mesmo chamar a polícia, afinal era uma criança perdida. Sentiu-se perturbado. Como pôde não achar estranho ter uma conversa tão profunda com uma criança? Um confronto que até então ele jamais teve com um adulto, nem mesmo com seu antigo terapeuta, com quem falou de muitas questões íntimas. O homem não entende. O que ele sabe é que a presença da menina se impôs de maneira definitiva, hipnótica, misteriosa. Sim, ele acabou de viver um momento místico, misterioso, que jamais poderia ser contado ou explicado a alguém. O que ele sabe é que a menina esteve ali. Tudo é muito vivo dentro dele. O rosto delicado, os cabelos negros, a pele escura, bonita, cheia de viço, e a voz infantil, mas certeira, como se fosse uma flecha afiada. Tudo estava esclarecido diante dos seus olhos. Aquela menina era a guardiã da verdade que ele havia perdido pelo caminho. A memória viva de tudo o que estava esquecido. Ela lhe permitiu reencontrar o tesouro perdido. O homem caminha de um lado para o outro. Quer viver. Sente em si um desejo imenso de viver. Pega o telefone e vê que há inúmeras ligações não atendidas. Faz um único retorno à secretária e avisa que não vai trabalhar. Ele não dá tempo para que nenhuma pergunta seja feita. Desliga o telefone e o guarda novamente. Retira o terno, veste uma bermuda, uma camiseta, põe chinelos nos pés e sai do quarto. Ele não sabe aonde vai. Só sabe que vai. Ele não quer chegar. Não há nenhum destino a esperar por ele, nem tampouco um roteiro definido em sua mente. Às vezes, o desejo nem é chegar. É só ir. Desobrigar os pés de saber um destino e ir. O caminho já é um lugar, repete a si mesmo. E é só isso que ele quer, é só do que precisa. Um caminho por onde ir. E que por onde andar o seu passo lá esteja também o seu coração.

Lisboa, 31 de outubro de 2018, às 23h15.

**Acreditamos
nos livros**

Este livro foi composto em Bodoni e impresso
pela Gráfica Santa Marta para a Editora
Planeta do Brasil em Dezembro de 2020.